33	Jesús Conocía Su Propio Valor	111
34	Jesús Nunca Trató De Tener Éxito Él Solo	113
35	Jesús Sabía Que El Dinero Está En Cualquier Lugar Donde Quieras Que Esté Realmente	115
36	Jesús Estableció Metas Específicas	117
37	Jesús Sabía Que Todo Gran Logro Demanda La Disposición De Empezar En Pequeña Escala	121
38	Jesús Se Dolía Cuando Otros Se Dolían	123
39	Jesús No Tenía Miedo De Mostrar Sus Sentimientos	127
40	Jesús Conocía El Poder Del Hábito	131
41	Jesús Terminaba Lo Que Comenzaba	133
42	Jesús Conocía Bien Las Escrituras	135
43	Jesús Nunca Anduvo De Prisa	137
44	Jesús Iba A Donde Era Celebrado En Vez De Ir A Donde Era Tolerado	141
45	Jesús Consultaba Constantemente A Su Padre Celestial	143
46	Jesús Sabía Que La Oración Genera Resultados	145
47	Jesús Se Levantaba Temprano	149
48	Jesús Nunca Sintió Que Tuviera Que Rendir Una Prueba Ante Otros	151
49	Jesús Evitó Confrontaciones Innecesarias	153
50	Jesús Delegó	155
51	Jesús Llevó Su Agenda Personal Cuidadosamente	159

52	Jesús Hacía Preguntas Para Determinar Correctamente Las Necesidades Y Deseos De Otras Personas	161
53	Jesús Siempre Respondió Con La Verdad	163
54	Jesús Permaneció En El Centro De Su Área De Experiencia	165
55	Jesús Aceptó La Responsabilidad Por Los Errores De Los Que Tenía Bajo Su Autoridad	167
56	Jesús Buscaba La Mentoría De Hombres Más Experimentados Que Él	169
57	Jesús No Le Permitía A Quienes Guiaba Que Mostraran Faltas De Respeto	171
58	Jesús Respetó La Ley De La Siembra Y La Cosecha	175

Parte II

Cómo Disfrutar La Vida Vencedora 179

Se ha utilizado la Biblia versión Reina-Valera, Revisión 1960, salvo en los casos cuando se indica otra.
Secretos Del Liderazgo De Jesús
ISBN 1-56394-308-5 SB-91
Copyright © 2005 Por *MIKE MURDOCK*
Todos los derechos editoriales pertenecen exclusivamente a Wisdom Internacional.
Publicado por The Wisdom Center · 4051 Denton Hwy. · Ft. Worth, TX 76117 · 1-888-WISDOM-1 · 817-759-0300
Sitio Web: *www.TheWisdomCenter.tv*
Traducido por: Martha Sierra & Maritza Sierra
Editado por: Martha Sierra, Maritza Sierra
Impreso en los Estados Unidos de América. Todos los derechos reservados están protegidos conforme a la Ley Internacional de Derechos de Autor Copyright. Ni el contenido ni la portada de esta obra pueden ser reproducidos total o parcialmente sin el expreso consentimiento escrito del autor.   1005·

PREFACIO

———❖———

Me apasiona ver a la gente *tener éxito* en la vida. Y también a Dios, el Creador, le gusta.

Como el artista aprecia su pintura y el maestro artesano la calidad del violín que creó, así también nuestro Hacedor estima los sueños, las metas, los objetivos, la excelencia de vida y la felicidad que tú y yo podemos disfrutar.

Mientras escudriñaba los principios para una vida exitosa, tuve repentinamente la revelación de estas dos fuerzas: la *persona* de Jesús y los *principios* que Él puso en marcha. Al poder *combinado* de estas dos influencias yo lo denomino el *"Camino del Ganador"*.

Los ganadores son simplemente ex-perdedores que se *enojaron*. Se cansaron del fracaso. **El Día Que Te Enojas Con Tus Fracasos Es El Día En Que Comienzas A Ganar.** El triunfo no comienza a tu alrededor—comienza en tu interior.

La Felicidad Comienza Entre Tus Dos Oídos. *Tu mente es la sala de recepción para las circunstancias del mañana.* Lo que sucede dentro de tu mente sucederá en algún momento. La Administración de la mente es la prioridad número uno para un vencedor. "...todo lo que es verdadero, todo lo honesto, todo lo justo, todo lo puro, todo lo amable, todo lo que es de buen nombre; si hay virtud alguna, si algo digno de alabanza, en esto pensad" (Filipenses 4:8).

El *sistema* que encontré en la Biblia *funcionó*.

Este ha multiplicado mi gozo y aumentó mi habilidad para tener éxito miles de veces más. Los Secretos del Liderazgo de Jesús que presento a continuación, contienen esta sabiduría para vivir.

Marca la fecha de hoy en tu calendario. ¡Declara que los días más productivos y felices de tu vida empiezan *Hoy*! Nunca, nunca, nunca te rindas. **Podrías Estar A Minutos De Tu Milagro.**

Escribí este libro *para ti*. Oro para que cada página te dé el *estímulo adicional* que necesitas para hacer tu vida más feliz y más satisfactoria que nunca antes.

1

JESÚS ERA UN SOLUCIONADOR DE PROBLEMAS

Todos Tenemos Problemas.
El éxito y felicidad en la vida dependen de tu disposición para ayudar a otros a resolver sus problemas. *La gente exitosa simplemente son los que encuentran soluciones a los problemas.* Un abogado exitoso resuelve problemas legales. Los médicos resuelven los problemas que crean las enfermedades. El mecánico de autos resuelve problemas de los automotores.

Jesús era un solucionador de problemas.
Miles estaban cargados de culpa por sus pecados. Jesús ofreció *perdón*. Miles estaban hambrientos espiritualmente. Jesús dijo: "Yo soy el lpan de vida" (Juan 6:35). Cientos tenían cuerpos flagelados con enfermedades y dolencias. Jesús "...andaba haciendo bien, y sanando a todos lo que estaban oprimidos por el diablo" (Hechos 10:38). Muchos estaban poseídos con espíritus malignos. Jesús los *liberó*.

Jesús tenía algo que las demás personas necesitaban.
Jesús solucionó los problemas de la gente. Esta es la razón por la que miles se sentaban durante días cuando les enseñaba sobre las leyes de Dios y cómo tener relaciones extraordinarias con las demás personas.

Los principios de Jesús eran declarados con audacia. La vida eterna. El gozo. La paz interior. El perdón. La sanidad y la salud. La libertad financiera.

Haz un inventario de ti mismo. ¿Qué tienes para ofrecerle a la gente? ¿Qué *disfrutas* hacer? *¿Qué tratarías de hacer si supieras que es imposible fracasar?*

Tú no eres un accidente. Dios planeó tu nacimiento. "Antes que te formase en el vientre te conocí, y antes que nacieses te santifiqué, te di por profeta a las naciones" (Jeremías 1:5).

Todo lo que Dios hace es una solución a un problema. Toda persona que Dios creó es una solución a un problema. Dios quería una relación de amor. Entonces, creó a Adán. Adán estaba solo. Entonces, Dios creó a Eva. Las relaciones son el eslabón de oro que vincula la creación.

Piensa en tu *contribución* para *otra persona,* como una *Asignación* de parte de Dios. Un abogado está asignado a su cliente. Una esposa está asignada a su esposo. Los padres a sus hijos. Los empleados a su jefe.

Tu Asignación siempre es para una o más personas.

Por ejemplo, Moisés fue asignado a los israelitas. Aarón fue asignado a Moisés.

Tu Asignación siempre *resolverá un problema.* Tu vida es una solución para alguien en problemas. Encuentra a los que te necesitan y lo que tienes para ofrecerles. Edifica tu vida alreadedor de esa contribución.

Jesús lo hizo.

Jesús fue un Solucionador-de-Problemas...Este es

uno de los Secretos del Liderazgo de Jesús.

Oración

Padre, ayúdame a ser un solucionador de problemas. Dáme tus ojos para encontrar a los que me necesitan y ayúdame a identificar cómo puedo ayudarlos. Gracias por crearme para ser una solución a un problema. En el nombre de Jesús, amén.

Preguntas

¿Qué problema específico has enfrentado recientemente que hayas resuelto exitosamente?

¿Cómo puedes ayudar a otros para que apliquen en su propio caso lo que has aprendido al resolver tu problema?

¿Cómo puedes hacer una contribución positiva durante la próxima semana en la vida alguien a quien fuiste asignado?

La Información Engendra Confianza.

-MIKE MURDOCK

Copyright © 2001 by Mike Murdock • Wisdom International
The Wisdom Center • 4051 Denton Hwy. • Fort Worth, TX 76117

2

Jesús Creyó En Su Producto

La Duda Es Mortal.
¿Has entrado alguna vez a una habitacion y sentido el odio en la atmósfera? ¿Has entrado alguna vez a una habitación y sentido amor, energía y emoción? ¡Por supuesto! *Tus pensamientos tienen presencia.* Son como corrientes que se mueven por el aire. Esos pensamientos son capaces *de acercar la gente, hacia ti o de alejarla de ti.*

Tu actitud siempre se siente. Nunca tendrás éxito en ningún negocio a menos que realmente creas en ese negocio. *Tus dudas saldrán finalmente a la superficie.* Debe creer en el producto que está promoviendo.

Observa la vida de Jesús. Creyó que podía *cambiar* a la gente. Creyó que Su producto *satisfaría* a la gente. "Cualquiera que bebiere de esta agua, volverá a tener sed; mas el que bebiere del agua que Yo le daré, no tendrá sed jamás; sino que el agua que Yo le daré será en él una fuente de agua que salte para vida eterna" (Juan 4:13,14).

¿Qué te hace creer en tu producto? El conocimiento del producto.

Su producto era vida. "El ladrón no vino sino para hurtar y matar y destruir; yo he venido para que tengan vida, y para que la tengan en abundancia" (Juan 10:10).

Jesús vio los productos dañados. Sabía que Él era

el enlace para su reparación. Nadie podía tomar su lugar, y lo sabía. "Mis ovejas oyen Mi voz, y Yo las conozco, y me siguen" (Juan 10:27).

Tú debes dedicar tiempo y hacer el esfuerzo para *conocer tu producto*. Esto puede aburrite o incluso parecer innecesario. Quizá estés ansioso por vender tu producto, recibir la ganancia, y seguir con tu vida. *Pero el éxito no sucede de ese modo.*

Un abogado debe estudiar leyes nuevas. Un médico debe leer las últimas noticias en relación al cuerpo y las nuevas enfermedades. Un policía tiene que estudiar sus armas, las leyes de su comunidad, sus derechos y la forma de pensar de los criminales. Si no estudia esto, sabe que "esta muerto en las calles". Su vida está en peligro. No esperes tener éxito a menos que estés completamente informado sobre tu producto.

¿Estás desalentado por tu trabajo? ¿Se sientes un poco desesperanzado? Entonces, te sugiero que te hagas algunas preguntas honestas que examinarán tu conciencia. ¿Cuánto *tiempo* has pasado en cultivar el conocimiento de tu negocio? ¿Cuántas horas has invertido en informarte cada día? ¿Estás tan ocupado tratando de hacer dinero que aún no has desarrollado realmente un poderoso entendimiento y certeza en lo que estás haciendo?

Jesús estaba muy ocupado. Enseñaba, predicaba, viajaba, realizaba milagros y hacía discípulos. Sin embargo, siempre tomó tiempo para estar a solas con Su Padre y renovar el entendimiento de Su propósito, Su plan y Su producto. "Mi pueblo es destruido por falta de conocimiento" (Oseas 4:6).

Jesús creyó en Su producto...éstes es uno de los

Secretos del Liderazgo de Jesús.

Oración

Padre, gracias por colocar dentro de mí diligencia para conocer mi producto/servicio/carrera en toda su extensión. Sé que Tú me has dado ideas y métodos para ayudar a otras personas. Enséñame a desarrollar un poderoso entendimiento y confianza en lo que promuevo. En el nombre de Jesús, amén.

Preguntas

En tres frases o menos, ¿cómo definirías tu producto?

¿Qué recursos usas para mantenerte informado sobre tu producto?

¿Cuánto tiempo pasas cada semana en oración por tu organización?

Dále A Otra Persona Lo Que No Puede Encontrar En Ninguna Otra Parte Y Seguirá Regresando.

—MIKE MURDOCK

Copyright © 2001 by Mike Murdock • Wisdom International
The Wisdom Center • 4051 Denton Hwy. • Fort Worth, TX 76117

3

Jesús Jamás Presentó Su Producto Engañosamente

Los Mentirosos Finalmente Serán Expuestos.
Pueden pasar semanas, meses o aún años, pero la verdad siempre sale. "El que encubre sus pecados no prosperará; mas el que los confiesa y se aparta alcanzará misericordia" (Proverbios 28:13).

Cualquiera que negocia contigo quiere la verdad, toda la verdad. La gente teme la falsedad y que la defrauden.

Jesús tenía el producto más grandioso sobre la Tierra: la salvación. Ofreció a la raza humana una oportunidad para relacionarse con Dios. Habló del cielo y de los ángeles. "En la casa de Mi Padre muchas moradas hay; si así no fuera, Yo os lo hubiera dicho; voy, pues, a preparar lugar par vosotros" (Juan 14:2).

Pero Jesús nunca pintó un cuadro distorsionado.

Advirtió a sus discípulos de la *persecución*: "Y guardaos de los hombres, porque os entregarán a los concilios, y en sus sinagogas os azotarán" (Mateo 10:17).

Jesús habló de *aflicciones*. "Entonces os entregarán a tribulación, y os matarán, y seréis aborrecidos de todas las gentes por causa de Mi nombre" (Mateo 24:9).

Habló de la *soledad*. "Las zorras tienen guaridas, y las aves del cielo nidos; mas el Hijo del Hombre no tiene dónde reconstar su cabeza" (Mateo 8:20).

Jesús creyó en preparar personas para cualquier situación que se podiera presentar. Fue honesto. Su enseñanza fue más allá de una filosofía "ilusa".

Escucha al apóstol Pablo: "De los judíos cinco veces he recibido cuarenta azotes menos uno. Tres veces he sido azotado con varas; una vez apredreado; tres veces he padecido naufragio; una noche y un día he estado como náufrago en alta mar" (2 Corintios 11:24,25).

¡Esto ciertamente no suena como la charla ideal de ventas a un grupo de estudiantes de la escuela bíblica! Pablo tampoco presentó su producto engañosamente.

Jesús habló a muchas personas de todo lo bueno y de los beneficios que ofrecía, pero fue también rápido en contarles sobre el cuadro *completo*. Por lo tanto, estarían preparados para enfrentar sus pruebas.

Menciona los beneficios. Piensa en las ventajas que tu producto o negocio le ofrecerán a otra persona. Pero nunca olvides *que una relación honesta vale cien ventas.*

Tu integridad siempre será recordada más tiempo que tu producto.

Jesús fue era honesto.

Jesús nunca presentó Su producto engañosamente... éste es uno de los Secretos del Liderazgo de Jesús.

Oración

Padre, te pido que me ayudes a desarrollar y mantener un estándar de verdad e integridad. Fortaléceme cuando lucho para ser más como Jesús:

sincero, honesto, digno de confianza. Gracias porque me sostendrás cuando alcance Tus estándares. En el nombre de Jesús, amén.

Preguntas

¿Cuáles son algunos ejemplos que has visto o experimentado cuando la verdad dio resultado?

¿Cómo manejarías una situación en la cual tú le diste a alguien por equivocación la información incorrecta, pero que tratar de corregirla te puede costar la venta o pone en riesgo tu trabajo?

Nunca Tendrás Algo
Que No Estés
Dispuesto A Perseguir.

-MIKE MURDOCK

Copyright © 2001 by Mike Murdock • Wisdom International
The Wisdom Center • 4051 Denton Hwy. • Fort Worth, TX 76117

4

Jesús Iba A Donde Estaba La Gente

Alguien Te Necesita.
Vé y encuéntralos. Actívate a ti mismo. Muévete hacia tus vecinos. Acércate a los miembros de tu familia. Toma el teléfono. Envía un *email*. Atrévete a escribir una pequeña nota a ese amigo cercano. Tal vez eres tímido, penoso, quizá hasta te sientes menos, pero no tendrás éxito en la vida a menos que estés conectado con la gente.

El éxito involucra a la gente. La gente que te puede ayudar a tener éxito, no siempre está dispuesta para acercarse a ti. En realidad, raremente lo hacen. *Tú debes acercarte a ellos.*

¿Por qué piensas que hay vendedores de periódicos en cada esquina y máquinas de refrescos en todos los pisos de un hotel?

La gente exitosa es accesible.

Nunca tendrás algo que no estés dispuesto a perseguir.

Jesús sabía esto. No estableció un trono en medio de cada ciudad ni dijo: "Este es Mi palacio. Es el único lugar donde pueden verme". Fue al mercado. Fue a los botes de los pescadores. Fue a la sinagoga. Fue a los hogares de la gente. Fue a todas partes. Jesús "pasaba por todas las aldeas anunciando el evangelio y sanando por todas partes" (Lucas 9:6).

Jesús estaba accesible.

¿Qué es lo que te impide acercarte a otras personas? ¿Es un miedo interno o un temor a ser rechazado? ¿Estás intimidado de alguna manera? Hay algo mucho más importante que el rechazo: *Tus sueños y metas.*

Las personas exitosas son gente que se acerca a los demás. Temen al rechazo, pero creen que su meta vale la pena.

Jesús dejó la comodidad. Dejó la presencia de ángeles y a Su Padre celestial. Caminó voluntariamente en una atmósfera impía e imperfecta. Salió de un reino magnífico y perfecto a un mundo confuso, manchado y mortal. Pero entró *en* las vidas de los que lo necesitaban.

Jesús iba a donde estaba la gente.

Tú sueño está relacionado con la gente. Los abogados necesitan clientes. Los doctores necesitan pacientes. Los cantantes: músicos. Los vendedores: clientes.

Jesús fue a donde había gente que estaba sufriendo. Fue a los cojos, a los ciegos, a los pobres, a los ricos. Hablaba a los cultos, a los ignorantes, a los hambrientos, a los sedientos.

Comienza hoy tu "Lista de Personas". Hay dos tipos de personas en tu vida: 1) los que ya saben que tú tienes algo que ellos necesitan, y 2) los que todavía no lo saben.

Tu lista de personas puede incluir a tus parientes, vecinos, al vendedor, al jardinero, a la manicurista, al peluquero, al médico o al abogado.

Hay una *Ley de Relación* que dice que toda persona está simplemente a cuatro personas de distancia de otro ser humano en la Tierra. ¡Piensa en ésto! Simplemente significa que tú conoces a

Guillermo, que conoce a Ester, que conoce a Carlos, que conoce a alguien más que te gustaría conocer. *Tú ya estás relacionado con el mundo entero.*
Simplemente tienes que salir de tu casa. Sal de tu auto. Ve a la puerta. Acércate al teléfono. Utiliza tu correo electrónico.
El éxito siempre comienza en alguna parte.
El éxito siempre comienza en algún momento.
El éxito siempre comienza con alguien.
Tú debes ir a donde la gente está.
Jesús lo hizo.
Jesús fué a donde estaba la gente...este es uno de los Secretos del Liderazgo de Jesús.

Oración

Señor, ¡te alabo por Tu magnífica creación de hombres y mujeres! Te pido que me ayudes para alcanzar a otros a mi alrededor con audacia y confianza, como nunca antes. Sé que me has dado un plan y una oportunidad para llegar a otros y tener éxito con ellos. En el nombre de Jesús, amén.

Preguntas

¿Qué paso tomarás en las próximas dos semanas para acercarte y establecer un contacto de negocios o una mejor asociación?

¿Qué organización visitarás en los próximos treinta días para relacionarte con un grupo más grande de personas?

¿Qué talento, habilidad especial o información conveniente compartirás con una persona esta semana para ayudarla a crecer?

La Fe Sale Cuando La Fatiga Entra.

-MIKE MURDOCK

Copyright © 2001 by Mike Murdock • Wisdom International
The Wisdom Center • 4051 Denton Hwy. • Fort Worth, TX 76117

5

Jesús Tomó Tiempo Para Descansar

La Fatiga Puede Ser Costosa.
Un notable presidente de los Estados Unidos sabía esto. Rechazó absolutamente tomar cualquier decisión imporante después de las 4pm. Sabía que *una mente cansada raramente toma buenas decisiones.*

Una mala decisión puede crear incontables tragedias.

El descanso y la recreación no son pecado. El tiempo de descanso es tiempo de *reparación*. No es una pérdida de productividad. Es tiempo de *renovación*. Es *tiempo para recibir*. Ayuda a *liberar* tu potencial.

Jesús era un hombre de acción, una "persona de gente". Fue productivo. Sanó. Predicó y enseñó. Caminó entre la gente. Pero también conocía la necesidad del descanso y la relajación. "Venid vosotros aparte a un lugar desierto, y descansad un poco" (Marcos 6:31).

Piensa en esto. Todos los días Jesús enfrentaba a cientos de enfermos y afligidos que clamaban por Su atención. Muchos estaban poseídos por demonios. Las madres se acercaban a Él. Los padres le pedían que orara por sus hijos. Los niños no querían alejarse de Él.

Pero Jesús *se apartó...para recibir.*

Jesús sabía que sólo podía dar lo que poseía. El tiempo de trabajo es *dar*. El tiempo de descanso es *recibir*. Debes tener ambos.

Dios creó la Tierra en seis días, pero se tomó el tiempo para *descansar* en el séptimo. Estableció un ejemplo para nosotros. *Jesús hizo lo mismo.*

Jesús entendió el equilibrio del descanso y el trabajo, que podría ser la razón por la que pudo lograr tanto en tres años y medio.

La vida es exigente. La gente es exigente. En realidad, cuanto más éxito tengas, la gente más demandará de tu vida.

La reconstrucción de ti mismo demandará tu atención.

Trabaja duro, pero juega con el mismo entusiasmo. *Agéndalo.* Toma un día libre a la semana, completamente libre. Relájate totalmente. Enfócate en algo completamente diferente a tu trabajo. Tu mente pensará con más claridad. Tomarás mejores decisiones. Verás la vida con ojos distintos. Lograrás mucho más en menos tiempo.

Detén tu empuje frenético por alcanzar el éxito. Tómate el tiempo para *probar el presente*. Los fuegos del deseo *siempre* rugirán dentro de ti. Debes dominar ese furor y enfocarlo correctamente. Aprende a descansar.

Jesús lo hizo.

Jesús tomó tiempo para descansar...este es uno de los Secretos del Liderazgo de Jesús.

Oración

Señor, enséñame a descansar. Muéstrame cómo puedo volverme a Ti, refrescarme y rejuvenecer. Sé que sin descanso no puedo lograr las metas y deseos que Tú has puesto dentro de mí. ¡Gracias por Tu descanso! En el nombre de Jesús, amén.

Preguntas

¿Con qué frecuencia realmente programas un tiempo de descanso y relax?

¿Qué haces para descansar tu mente en el trabajo? ¿Y en tu hogar?

Si tuvieras un día libre entero para ti, ¿qué harías?

El Secreto De Tu Futuro
Está Escondido
En Tu Rutina Diaria.

-MIKE MURDOCK

Copyright © 2001 by Mike Murdock • Wisdom International
The Wisdom Center • 4051 Denton Hwy. • Fort Worth, TX 76117

6

JESÚS DEDICÓ TIEMPO PARA PLANEAR

Los Campeones Planean.
La planificación es el punto de partida para todo sueño o meta que tú posees.

¿Qué es un plan? Un plan es una lista escrita de acciones ordenadas necesarias para lograr la meta deseada. "Escribe la visión, y haz que resalte claramente en las tablillas, para que pueda leerse de corrido" (Habacuc 2:2 NVI).

Jesús planeó Su futuro. "En la casa de Mi Padre muchas moradas hay; si así no fuera, Yo os lo hubiera dicho; voy, pues, a preparar lugar para vosotros" (Juan 14:2).

Piensa por un momento. Dios programó el nacimiento, la crucifixión y la resurrección de Su Hijo antes de la fundación del mundo. "Y lo adoraron todos los moradores cuyos nombres no estaban en el libro de la vida del Cordero que fue inmolado desde el principio" (Apocalipsis 13:8).

Pienso que es bastante fascinante que Dios programe una comida, la cena de las bodas, ¡seis mil años por anticipado! "Bienaventurados los que son llamados a la cena de las bodas del Cordero" (Apocalipsis 19:9).

Dios siempre honró a los hombres que planearon.
Noé *planeó* la construcción del arca. Salomón, el hombre más sabio que haya existido en la Tierra,

dedicó tiempo para planear la edificación del templo. Moisés, el gran libertador que sacó a los israelitas de Egipto, *se tomó el tiempo para planear* el tabernáculo.

La Biblia es *el plan de Dios* para ti, para el mundo y para la eternidad. Es la prueba innegable de que Dios piensa por adelantado. La mayor parte de la Biblia es profecía: una descripción del futuro antes de que ocurra.

Jesús enseñó: "Porque ¿quién de vosotros, queriendo edificar una torre, no se sienta primero y calcula los gastos, a ver si tiene lo que necesita para acabarla? No sea que después de que haya puesto el cimiento, y no pueda acabarla, todos los que lo vean comiencen a hacer burla de él, diciendo: Este hombre comenzó a edificar, y no pudo acabar. ¿O qué rey, al marchar a la guerra contra otro rey, no se sienta primero y considera si puede hacer frente con diez mil al que viene contra él con veinte mil?" (Lucas 14:28-31).

Elabora una lista de cosas para hacer todos los días de tu vida. Escribe seis cosas que quieres lograr este día. Concentra tu total atención en cada tarea. Asigna un tiempo específico a cada tarea. (Si no puedes planear las cosas para veinticuatro horas en tu vida, ¿qué te hace pensar que lograrás tus deseos para los próximos veinticuatro años?)

Considera cada hora como si fuera un empleado. *Delégale una asignación específica a cada hora.* ¿Qué quieres lograr entre las 08:00 y las 09:00? ¿A quién deberías llamar por teléfono hoy?

Escribe tu plan claramente en una joja de papel. *Los éxitos son generalmente eventos programados.* Los fracasos no.

Planificar cuesta trabajo. Es tedioso. Minucioso. Es duro, exigente y agotador. En mi opinión personal, la planificación detallada realmente nunca es divertida. *Pero algunas veces tenemos que hacer algo que odiamos para crear algo que amamos.*

¿Por qué la gente evita la planificación? Algunos la evitan porque les consume tiempo. Están tan ocupados "trapeando el agua" que no se toman el tiempo para "cerrar el grifo".

El secreto de tu futuro está escondido en tu rutina diaria.

Aún las hormigas piensan por anticipado. "Ve a la hormiga, oh perezoso, mira sus caminos, y sé sabio; la cual no teniendo capitán, ni gobernador, ni señor, prepara en el verano su comida, y recoge en el tiempo de la siega su mantenimiento" (Proverbios 6:6-8).

Jesús tuvo un plan.

Jesús dedicó tiempo para planear...este es uno de los Secretos del Liderazgo de Jesús.

Oración

Padre, te agradezco por darme la habilidad de planear. Te pido que me des sabiduría para ordenar mi rutina diaria de modo que me permita aprovechar cada hora al máximo. En el nombre de Jesús oro, amén.

Preguntas

¿Cuál es el mayor obstáculo que enfrentas para ser un planificador más consistente?

¿Cómo vencerás este obstáculo en los próximos veintiún días?

Algunas Veces Tienes
Que Hacer Algo
Que Odias Para Crear Algo
Que Amas.

—MIKE MURDOCK

Copyright © 2001 by Mike Murdock • Wisdom International
The Wisdom Center • 4051 Denton Hwy. • Fort Worth, TX 76117

7

Jesús Sabía Que No Tenía Que Cerrar Todas Las Ventas Para Ser Un Éxito

"No", Simplemente Quiere Decir "Pide Otra Vez".
Deténte un momento. Revisa tus experiencias pasadas. Tú enfrentaste rechazo cuando fuiste niño. Algunos de tus compañeros no te querían. Pero seguiste adelante de todas maneras, ¿o no?

El rechazo no es fatal. Es simplemente la opinión de alguien.

Jesús experimentó más rechazo que cualquier ser humano que haya vivido en la Tierra. Llegó a este mundo en un establo. Nació como un desterrado en la sociedad. Aún hoy, los conductores de programas de *talk show* lo empequeñecen y se ríen de Él y de sus seguidores. El nombre de Jesús es usado diariamente como una maldición por millones de personas. Su propio pueblo lo rachazó.

"A lo suyo vino, y los suyos no le recibieron" (Juan 1:11).

¿Se rindió Jesús? Cuando Judas lo traicionó, ¿se permitió desmoralizarse? No. *Jesús sabía que no tenía que cerrar todas las ventas para ser un éxito.* Siguió con los demás, con los que discernían Su valor. "Mas a todos los que le recibieron, a los que creen en Su nombre, les dio potestad de ser hechos hijos de

Dios" (Juan 1:12). Conocía Su *valor*. Conocía Su *producto*.

Jesús sabía que las críticas morirían, pero Su plan era eterno.

Estaba dispuesto a experimentar una *temporada de dolor* para crear una *eternidad de ganancia*. *Algunas cosas duran más tiempo que el rechazo:* tus metas y sueños.

Muévete más allá de tus cicatrices. No todos te felicitarán. No todos le darán la bienvenida a tu futuro.

Alguien necesita lo que tú tienes. Tu contribución es una absoluta necesidad para el éxito de alguien. Disciérnelo.

Los fariseos rechazaron a Jesús. La secta religiosa denominada saduceos rechazó a Jesús. Los líderes religiosos lo despreciaron. Los que deberían haber reconocido Su valor quisieron destruirlo.

Jesús arriesgó el rechazo para convertirse en el eslabón de oro entre el hombre y Dios.

Babe Ruth fue famoso durante muchos años como el rey de los cuadrangulares en la historia del béisbol. ¡Mucha gente jamás se dió cuenta que tenía más *strikeouts* que cualquier otro bateador! No se acuerdan de sus errores y pérdidas de cuando bateaba. Simplemente recuerdan sus éxitos. Pero Babe estaba dispuesto a arriesgar un *strikeout* con tal de batear ese cuadrangular.

La mayoría de los grandes vendedores dicen que el saber que catorce de quince personas dirán no, los inspira a apurarase y hacer sus presentaciones a tantas personas como sea posible, para alcanzar al que la aceptará.

Jesús enseño a sus discípulos cómo manejar el rechazo. "Y si alguno no os recibiere, ni oyere vuestras palabras, salid de aquella casa o ciudad, y sacudid el polvo de vuestros pies" (Mateo 10:14).

Deja ya ese sillón reclinable. Haz esa llamada telefónica. Escribe esa carta. Envía ese correo electrónico.

Tarde o temprano triunfarás. Jesús sabía ésto.

Jesús sabía que no tenía que cerrar cada venta para ser un éxito...este era uno de los Secretos del Liderazgo de Jesús.

Oración

Señor, te agradezco por Tu fidelidad y seguridad en todo tiempo. Te agradezco por enseñarme que algunas veces debo estar dispuesto a experimentar una temporada de dolor para recibir una de ganancia. Tú me has dado la gracia para hacer eso que no me gusta hacer, para lograr eso que quiero. En el nombre de Jesús, amén.

Preguntas

¿Cómo has vencido exitosamente la objeción de un cliente en una venta, o el rechazo de una nueva idea o propuesta?

¿Cuáles serían los dos primeros pasos que tomarás para cambiar la manera de responder cuando alguien te diga "No" en un futuro?

Sólo Puedes Conquistar Tu Pasado Si Te Enfocas En Tu Futuro.

—MIKE MURDOCK

Copyright © 2001 by Mike Murdock • Wisdom International
The Wisdom Center • 4051 Denton Hwy. • Fort Worth, TX 76117

8

Jesús Tenía Algo Que Otros Necesitaban

Tú Fuiste Creado Para Cambiar A Alguien.
Toda persona con la que restan te encuentras hoy está tratando de *cambiar* tu vida en alguna forma. Desean la excelencia. Quieren *libertad financiera*. Quieren que su *salud* mejore. Odian la soledad. Tú no fuiste enviado a todos, pero definitivamente fuiste enviado a alguien.

Quizá no estés calificado para ayudar a todas las personas que conoces. Pero *alguien necesita algo que tú posees*. Puede ser tu calidez, tu amor, tus dones o una oportunidad especial que puedes brindarles.

Jesús lo entendió. Sabía que podía *cambiar* a la gente para *bien*. Poseía algo que podía eliminar la tristeza y el dolor del corazón de la vida de la gente. Él fue un *restaurador*. Fue un *reparador*. "El ladrón no viene sino para hurtar y matar y destruir; Yo he venido para que tengan vida, y para que la tengan en abundancia" (Juan 10:10). Jesús entendió el apetito insaciable por la excelencia y el desarrollo personal.

Hay cuatro clases de personas en tu vida: los que suman, los que restan, los que dividen y los que multiplican. Cada relación te afectará, para bien o para mal. *Los que no te ayudan a aumentar inevitablemente te ayudarán a disminuir.* "El que anda con sabios, sabio será: mas el que se junta con necios será quebrantado" (Proverbios 13:20). *Cada relacíon alimenta una fuerza o una debilidad dentro de tí.*

Miles de personas quieren *cambiar.* Pero lo que sucede es que no saben *cómo* hacerlo. Cada alcohólico odia su atadura. La mayoría de los fumadores anhelan dejar el vicio. Los drogadictos se sientan por horas preguntándose cómo pueden romper sus cadenas de esclavitud.

Jesús buscó a la gente en problemas. Esta es la razón por la que le dijo a Sus discípulos que necesitaba pasar por Samaria, donde se encontró una mujer con cinco matrimonios en los que había fracasado. Él le habló. Ella escuchó. Jesús cambió su vida tan drásticamente que ella volvió a la ciudad proclamando la influencia de Jesús en su vida. *Ella conquistó su pasado enfocándose en su futuro.*

"Mas el que bebiere del agua que Yo le daré, no tendrá sed jamás; sino que el agua que Yo le daré será en él una fuente de agua que salte para vida eterna" (Juan 4:14). Jesús es el agua para los sedientos. Es el pan para los *hambrientos.* Es el camino para los *perdidos.* Es el compañero para los *solitarios.*

Deténte un momento. ¿Cuáles son tus dones más grandes? ¿Cuál es el *centro de tu área de experiencia*? ¿Eres un buen oyente? ¿Eres un buen *orador*? Cualquiera que sea tu don, eso es lo que Dios usará para bendecir a otros a través de ti.

José tuvo la habilidad de interpretar sueños. Rut se encargó del cuidado de Noemí.

Es posible que no todos necesiten de tu don, pero en definitiva *alguien* lo requiere.

¿Quién necesita tu don? ¿Cuál es tu don? ¿La

vida de quién eres capaz de mejorar hoy? ¿El ingreso de quién podrías mejorar? ¿A quién puedes ayudar infundiéndole paz mental?

Tú eres capaz de motivar a *alguien*. Quizás podrías propiciar un clima o atmósfera que descubra la creatividad de otras personas. La gente quiere tener éxito. La gente quiere mejorar.

Alguien ha estado esperándote durante toda una vida. Vale la pena buscarlas. Tú eres el eslabón de oro que falta en la vida de esas personas.

La gente quiere cambiar.

Jesús lo sabía.

Jesús tenía algo que otros necesitaban...este es uno de los Secretos del Liderazgo de Jesús.

Oración

Gracias, Padre, que has colocado dentro de mí un don necesario para alguien en el mundo hoy. En la fuerza de Jesús, pude vencer mi pasado y enfocarme en mi don y en las posibilidades de ese don. Tú me has creado para un propósito. Ayúdame a encontrar a los que me necesitan más. En el nombre de Jesús oro, amén.

Preguntas

¿En qué forma has cambiado la vida de alguien durante el mes pasado?

¿Qué técnicas de motivación has encontrado para ser el más efectivo en descubrir la creatividad de otras personas?

¿Cuál es el don especial con el que a menudo te descubres ayudando a otros?

Tu Futuro Comienza Con Cualquier Cosa Que Hoy Esté En Tus Manos.

-MIKE MURDOCK

Copyright © 2001 by Mike Murdock • Wisdom International
The Wisdom Center • 4051 Denton Hwy. • Fort Worth, TX 76117

9

A Jesús Le Interesaban Las Finanzas De La Gente

El Dinero Es Una Recompensa.
El dinero es lo que tú recibes *cuando ayudas a alguien a lograr su meta.*

El día de pago es sencillamente un día de recompensa. Tú eres recompensado por usar tus mejores horas de cada día, por usar tu energía y tu conocimiento para ayudar a tu jefe a alcanzar metas específicas. ¡Ellos te pagan por ésto!

El dinero es muy importante. No puedes vivir en el hogar sin él. No puedes proveer para tu familia. Tu automóvil cuesta dinero. Tu ropa cuesta dinero. La mayoría de los consejeros matrimoniales observan que el caso número uno de divorcios es el conflicto financiero.

Jesús reconoció la importancia del dinero.
Algunas personas piensan que Jesús era un vegabundo que usaba una capa sucia y sandalias, y que vivía de las sobras de comida que le daban en los lugares que visitaba. Al contrario, tenía doce hombres que manejaban Su negocio. Uno de ellos era el tesorero (Juan 13:29).

Jesús no quería que te preocuparas por las finanzas. "Por tanto os digo: No os afanéis por vuestra vida, qué habéis de comer o qué habéis se beber; ni por vuestro cuerpo, qué habéis de vestir. ¿No es la vida más que el alimento, y el cuerpo más que el vestido? Mirad las aves del cielo, que no siembran, ni siegan, ni recogen en graneros; y vuestro Padre celestial las alimenta. ¿No valéis vosotros mucho más que ellas?" (Mateo 6:25,26).

Jesús sabía que Dios amaba darle a la gente cosas buenas. "Toda buena dádiva, y todo don perfecto desciende de lo alto, del Padre de las luces, en el cual no hay mudanza, ni sombra de variación" (Santiago 1:17).

El dinero es un hecho en la vida. Es necesario. Tú lo necesitas. El dinero está en la mente de Dios. Se enseña sobre finanzas en la Palabra de Dios. En realidad, veinte por ciento de las enseñanzas y conversaciones de Jesús eran sobre el dinero y las finanzas.

Dios ama ver a su pueblo prosperar. "Canten y alégrense los que están a favor de mi justa causa, y digan siempre: Sea exaltado Jehová, que ama la paz (prosperidad) de Su siervo" (Salmo 35:27 NVI).

Dios quiere revelar formas en las que puedes puedes producir ganancias y tener exito en tus finanzas. "Yo soy Jehová Dios tuyo, que te enseña provechosamente, que te encamina por el camino que debes seguir" (Isaías 48:17).

Jesús enseñó a la gente *cómo progresar financieramente* mediante las parábolas que hablan acerca de usar los dones e invertir sabiamente lo que Él les había dado (Mateo 25:14-29).

Tu futuro comienza con cualquier cosa que tengas en tu mano hoy.

Nada es tan pequeño para no multiplicarse. Todo es *reproductivo*. Todos han recibido algo de parte de

Dios que es capaz de reproducirse.

Jesús enseñó a la gente que Dios era la verdadera fuente de todo (Mateo 6:31-34).

Jesús enseñó que dar es una de las maneras de multiplicar lo que nos ha dado. "Dad, y se os dará; medida buena, apretada, remecida y rebosando darán en vuestro regazo; porque con la misma medida con que medís, os volverán a medir" (Lucas 6:38).

Jesús enseñó cómo desatar la promesa del reintegro de las cien veces más. "No hay ninguno que haya dejado casa, o hermanos, o hermanas, o padre, o madre, o mujer, o hijos, o tierras, por causa de Mí y del evangelio, que no reciba cien veces más ahora en este tiempo; casas, hermanos, hermanas, madres, hijos, y tierras, con persecuciones; y en el siglo venidero la vida eterna" (Marcos 10:29,30).

Jesús enseñó que tú podrías hallar la forma para salir de tus problemas. "Dad, y se os dará; medida buena, apretada, remecida y rebosando darán en vuestro regazo; porque con la misma medida que usas, os volverán a medir" (Lucas 6:38).

Jesús enseñó a los pescadores dónde tirar sus redes para atrapar los peces (Lucas 5:1-11).

Analiza Estos 7 Increíbles Secretos

1. **Jesús Visitaba A La Gente En Su Lugar De Trabajo.**
2. **Jesús Estaba Tan Interesado En El Trabajo De Ellos, Que Les Indicó Cuál Era El Momento Adecuado Para Tirar Las Redes Para Pescar.**
3. **Los Discípulos Tenían Suficiente Confianza En Los Conocimiento De Jesús Que**

Lanzaron Nuevamente Sus Redes, En Obediencia Total.

4. Pescaron Más Que Nunca, Tanto Que La Red Se Rompió.

5. El Éxito Fue Tan Extraordinario Que Necessitaron Compañeros Para Ayudarles A Recoger Los Pescados.

6. Cuando Vieron Los Discípulos El Conocimiento Asombroso Y El Interés De Jesús, Así Como El Resultado De Haber Seguido Sus Instrucciones, Se Dieron Cuenta Qué Tan Pecadores Eran Y Lo Limitados Que Estaban.

7. Trajeron Sus Barcas A Tierra Y Decidieron Seguir Totalmente A Jesús Y Sus Enseñanzas.

Jesús dedicó tiempo para instruir a sus discípulos dónde conseguir dinero para los impuestos. "Vé al mar, y echa el anzuelo, y el primer pez que saques, tómalo, y ábrele la boca, hallarás un estatero; tómalo, y dáselo por mí y por ti" (Mateo 17:27).

Estas son las verdades: Jesús le mostró a la gente *dónde* podía encontrarse dinero. Los *motivó* a tratar de nuevo y considerar opciones y cambios. Enfocó la mente de la gente en su *verdadera fuente:* el Padre celestial. Los desafió a hacer de los asuntos *espirituales* una prioridad. Luego, los motivó a considerar su dar *como una semilla dada en fe para segar la promesa de la cosecha al ciento por uno.* Los alentó a *esperar una cosecha* de todo lo que sembraron en la obra de Dios para ayudar a que otros fueran libres.

Si hay algo más excitante que descubrir la libertad económica a la manera de Dios, es ayudar a otros a descubrir el plan de Dios para la libertad financiera también.

Jesús lo hizo.

A Jesús le interesaban las finanzas de la gente...este es uno de los Secretos del Liderazgo de Jesús.

Oración

Padre, descanso y confío en Ti como la fuente para todas mis necesidades financieras. Ayúdame a entender plenamente que la llave para recibir finanzas está en sembrar finanzas cuando Tú me diriges, no importa la cantidad. Por favor, enséñame también cómo puedo mostrarles a otros la manera de descubrir la libertad financiera. En el nombre de Jesús, amén.

Preguntas

¿Qué llaves de sabiduría te ha revelado el Señor sobre la planificación financiera en tu vida? ¿Cómo puedes compartir estas pepitas de oro con otros?

¿Que tan consistentemente das tu diezmo y tus ofrendas para la obra del Señor?

¿Qué bendiciones has recibido como resultado de tu siembra?

Debes Estar Dispuesto A Ir
A Donde Nunca Has Ido,
Para Crear Algo Que
Nunca Has Tenido.

-MIKE MURDOCK

Copyright © 2001 by Mike Murdock • Wisdom International
The Wisdom Center • 4051 Denton Hwy. • Fort Worth, TX 76117

10

Jesús Estaba Dispuesto A Ir A Donde Nunca Había Ido

La Geografía Marca Una Diferencia.
Las piñas crecen bien en Hawaii. No así en Alaska. *La atmósfera importa.* El clima es importante para que cualquier Semilla crezca. Sin embargo, quizá necesites cambiar de ubicación y de situación para descubrir el potencial completo de tu éxito.

El éxito requiere gente. Nunca tendrás éxito sin relacionarte con diferente tipo de personas. Quizá algunas personas no sean fácilmente accesibles. Quizá tengas que dejar las comodidades de tu hogar u oficina para alcanzarlos y lograr éxito extraordinario.

Recientemente me sorprendí por lo que vi en la vida de Jesús. Él estaba constantemente en *movimiento*, constantemente *cambiaba* su ubicación.

"Cuando descendió Jesús del monte" (Mateo 8:1). "Él entró a Capernaum" (8:5). "Vino Jesús a casa de Pedro" (8:14). "Entrando Él en la barca" (8:23). "Cuando llegó a la otra orilla, a la tierra de los gadarenos" (8:28).

Jesús estaba constantemente en movimiento, iba y venía, de una parte a otra, visitaba lugares nuevos. Buscaba estar rodeado de gente nueva. Él debatía Su enseñanza con diferente tipo de personas, de diversos trasfondos.

Algunas personas no vendrán adonde tú estás. Tienes que ir a sus hogares, a sus ciudades y a sus ambientes.

Una vez Jesús le dijo a Sus discípulos que fueran al aposento alto. Debían permanecer allí hasta que recibieran la maravillosa experiencia del Espíritu Santo. Le dijo esto a quinientas personas. Trescientas ochenta desobedecieron. Aun después de haber visto Su resurrección y Su vida de milagros, sólo ciento veinte de las quinientas realmente siguieron Su instrucción. Pero los que estuvieron dispuestos a ir a un lugar diferente—al aposento alto—recibieron el maravilloso derramamiento del Espíritu Santo.

Abraham, el patriarca de los israelitas, tuvo que hacer cambios geográficos antes del nacimiento de su éxito. (Génesis 12:1,2).

José halló increíble éxito *en otro país*: Egipto.

Rut voluntariamente dejó su familia pagana en Moab y se fue a Belén con Noemí. Allí conoció a Booz, un gigante financiero de la comunidad, y se casó con él.

Es normal que te dirijas hacia los que están fácilmente accesibles.

En ocasiones tienes que ir a algún lugar donde no has ido nunca, antes de probar el éxito extraordinario que quieres experimentar.

Jesús lo hizo.

Jesús estuvo dispuesto a ir a donde Él nunca había estado...este es uno de los Secretos del Liderazgo de Jesús.

Oración

Padre, sé que tienes un plan para mí. Te pido que me ayudes a estar dispuesto a ir a donde nunca he ido antes, para que puedas ayudarme a crear el éxito que nunca he experimentado. En el nombre de Jesús, amén.

Preguntas

¿Qué beneficios has experimentado al cambiar de trabajo, de compañías o de ubicaciones geográficas?

¿Cómo te puedes preparar o ayudar a otros a enfocarse en las oportunidades y no en los obstáculos cuando se enfrentan a tiempos de cambio?

Las Armas Seleccionadas Por Tu Enemigo Son Una Clave Del Miedo Que Te Tiene.

-MIKE MURDOCK

Copyright © 2001 by Mike Murdock • Wisdom International
The Wisdom Center • 4051 Denton Hwy. • Fort Worth, TX 76117

11

Jesús Nunca Permitió Que Lo Que Otros Decían Sobre Él Cambiara La Opinión De Sí Mismo

Nadie Te Conoce Realmente.
Considera esto por un momento. Casi todos en tu vida están más preocupados con ellos mismos que tú. Entonces, tú sabes más sobres tí mismo que cualquier otra persona que te conozca. Nunca te olvides de eso.

Lo realmente importante no es lo que los hombres digan de ti. Sino aquello que tú crees acerca de ti mismo.

Jesús fue difamado. Fue acusado falsamente. Decían que estaba poseído por demonios. Incontables acusaciones eran lanzadas en contra de Jesús todos los días de Su vida, pero nunca lo afectaron. "Bienaventurados seréis cuando los hombres os aborrezcan, y cuando os aparten de sí, y os vituperen, y desechen vuestro nombre como malo, por causa del Hijo del Hombre.

Gozaos en aquel día, y alegraos, porque he aquí vuestro galardón es grande en los cielos; porque así hacian sus padres con los profetas". (Lucas 6:22,23)

Jesús sabía para qué estaba. Creía en Sí Mismo. Creía en Su producto. Sabía que Sus acusadores eran ignorantes, incultos y arrogantes. Sabía que simplemente le tenían miedo.

La gente siempre lucha contra lo que no entiende. *La mente siempre tomará ofensa por todo lo que no puede dominar.* En las guerras se pelean por ignorancia y temor. A través de la historia de la humanidad, los nombres de los campeones fueron manchados y deshonrados. Acusaciones y mentiras difamadoras han surgido en contra de grandes líderes políticos así como de ministros. Así es la vida. Daniel fue acusado de quebrantar la ley. José fue falsamente acusado de violar a la esposa de su jefe. Pablo fue acusado de ocasionar atropellos a través del odio y la división en relación a los sistemas de creencias de la gente religiosa.

Jesús nunca le rogó a nadie que creyera en Él. Sabía que *la integridad no podía ser comprobada, debe ser discernida.*

Jesús nunca perdió el tiempo con críticas. Mantuvo la atención en Su meta. *Permaneció enfocado.*

¡Acusaron a Jesús de estar lleno de demonios! Pero Él no prestó atención. Simplemente continuó echándolos fuera (Mateo 12:24).

Jesús nunca luchó para "parecer bueno". Simplemente era bueno. No trabajó para aparentar ser verdadero. *Fue verdadero.* Nunca luchó para tener una buena reputación. *Tenía carácter.*

Toda persona exitosa quiere ser amada y admirada, pero los enemigos y críticos tratarán de manchar su reputación. Tú tienes que levantarte por encima de esa realidad. Nunca debes permitir que lo que otros digan de ti, cambie la opinión personal que tienes acerca de ti mismo. Nunca.

Jesús no lo permitió.

Oración

Oro, Señor, porque no quiero perder el tiempo en relación a mí mismo y con lo que la gente dice sobre mí. Te agradezco por la fuerza y fidelidad para no caer en una apariencia de bien o integridad, sino para ser una persona de bondad, verdad y carácter. En el nombre de Jesús, amén.

Preguntas

¿Respondiste positivamente o reaccionaste en forma negativa la última vez que alguien dijo algo negativo o falso acerca de ti?

Si pudieras volver atrás y repetir la escena, ¿Qué harías distinto?

Haz una lista con tres ejemplos de personas que hayan estado por encima de las circunstancias cuando hablaron mentiras acerca de ellos o que fueron rechazados. ¿Qué hicieron para responder positivamente?

La Calidad De La Preparación Determina La Calidad Del Desempeño.

— *MIKE MURDOCK*

Copyright © 2001 by Mike Murdock • Wisdom International
The Wisdom Center • 4051 Denton Hwy. • Fort Worth, TX 76117

12

JESÚS ENTENDIÓ EL TIEMPO Y LA PREPARACIÓN

Los Campeones Nunca Andan De Prisa.
La calidad de la preparación determina la calidad del desempeño.

Los grandes concertistas de piano invierten cientos de horas de práctica antes de un concierto. Saben que la cantidad y la calidad de las horas agotadoras de práctica los prepara para su mejor ejecución al piano. El campeón mundial de peso completo sabe que no puede entrar al ring con su oponente sin preparación previa. Sería demasiado tarde. Durante muchas semanas antes de la gran pelea, trabaja en sus entrenamientos matutinos, corre y sigue un programa de ejercicios.

Los campeones no se *convierten* en campeones arriba del ring. Simplemente allí se los *reconoce*. El proceso *para convertirse* en líderes sucede en la *rutina diaria.*

Jesús nunca anduvo de prisa.

Jesús no empezó Su ministerio terrenal sino hasta cuando tuvo treinta años. Su ministerio fue breve, sólo duro tres años y medio.

Su tiempo de preparación fue de treinta años.

Jesús tenía un gran sentido de la oportunidad. Cuando Su madre le dijo que a la gente le faltaba vino en las bodas de Caná, contestó: "¿Qué tienes conmigo, mujer? Aún no ha venido Mi hora" (Juan 2:4). Obviamente, Dios planeaba una presentación pública del ministerio de Jesús, pero Jesús vio una necesidad y respondió a la fe que María expresó cuando dijo: "Haced todo lo que os dijere" (Juan 2:5).

Algo *bueno* sucede a cada momento de tu vida. *Algo* crece. Puede ser la semilla de la paciencia o una nueva amistad que recién nació. Puede ser también que las debilidades de tus planes estén siendo reveladas. Cualquier cosa que fuere, cada momento produce algún resultado específico por tus esfuerzos.

Busca la recompensa del momento actual, sin considerar si parece ser un éxito o un fracaso. Los capítulos de preparación en tu vida no son demoras para tu éxito futuro. Cada capítulo y momento tiene un beneficio y un producto, si tú los buscas.

Hace varios años, un amigo mío recién había comenzado un negocio. Estaba muy emocionado de su extraordinario potencial. Sin embargo, no quiso ocupar tiempo en aprender a presentar el plan a otros. Sentía que era "demasiado detallado". Cuando lo vi vacilar en sus conversaciones con otros, finalmente dije: "Aprende el negocio, estudia los productos. Dedica tiempo para aprender los detalles. *Si dedicas tiempo para prepararte, tu presentación tendrá credibilidad*". La gente tendrá confianza al volverse parte de tu negocio. Posiblemente no te aprendas todos los detalles la primera noche que los escuchas, pero no te preocupes: separa unas horas cada semana para comenzar a preparar tu presentación.

El tiempo de preparación nunca es tiempo desperdiciado.

Te llevará tiempo conocer tu negocio. Te llevará tiempo conocer tu producto. Te llevará tiempo desarrollar una lista de clientes.

Piensa en la vida de Jesús. A Su alrededor veía a cientos de personas morir a causa de enfermedades y dolencias, pero Su tiempo no había llegado. Veía a miles torcidos por la tradición y el legalismo de los sistemas religiosos, pero sabía que Su Padre aún lo estaba preparando. "Y Jesús crecía en sabirduría y en estatura, y en gracia para con Dios y los hombres" (Lucas 2:52).

Jesús se *perparó*.

Jesús entendió el tiempo y la preparación...este es uno de los Secretos del Liderazgo de Jesús.

Oración

Padre, gracias por enseñarme que los campeones no se hacen, sino que se reconocen. Con Tu fuerza, puedo convertir al tiempo en mi siervo y prepararme con excelencia para que mi desempeño refleje excelencia. En el nombre de Jesús, amén.

Preguntas

¿De qué maneras puedes prepararte para ser más efectivo en tu trabajo durante los próximos treinta días?

Considera un ejemplo de alguna ocasión en que no fuiste sensible al tiempo de oportunidad en una situación importante.

¿Qué aprendiste a hacer de manera diferente después de ese episodio?

Sólo Tendrás Éxito
Significativo Con Algo
Que Sea Tu Obsesión.

-MIKE MURDOCK

Copyright © 2001 by Mike Murdock • Wisdom International
The Wisdom Center • 4051 Denton Hwy. • Fort Worth, TX 76117

13

Jesús Desarrolló Una Pasión Por Sus Metas

Pasión Es Poder.
Nunca tendrás éxito significativo con algo, *hasta que ese algo se convierta en tu obsesión.* Una obsesión es cuando algo consume tu tiempo y pensamientos.

Tú serás recordado en la vida por tu obsesión. Henry Ford, por el automóvil. Thomas Edison, por los inventos. Billy Graham, por el evangelismo. Oral Roberts, por la sanidad. Los hermanos Wright, por el avión.

Jesús tenía una pasión por Su misión y por Su meta en la vida. "Porque el Hijo del Hombre vino a buscar y a salvar lo que se había perdido" (Lucas 19:10). "Cómo Dios ungió con el Espíritu Santo y con poder a Jesús de Nazaret, y cómo éste anduvo haciendo bienes y sanando a todos los oprimidos por el diablo, porque Dios estaba con Él" (Hechos 10:38).

Jesús se enfocó en cumplir las instrucciones exactas de Su Padre celestial. Sanó a los enfermos. Atendió a los solitarios. Vino para hacer exitosa a la gente, a restaurar y reparar las vidas para que tuvieran plena comunión con Su Padre. "Y todo lo que hagáis, hacedlo de corazón, como para el Señor y no para los hombres". (Colosenses 3:23)

La obsesión de Jesús lo llevó a la cruz. Lo llevó a la crucifixión. Veinte centímetros de espinas fueron apretadas en Su frente. Una lanza traspasó Su costado. Perforaron Sus manos con clavos. Treinta y nueve azotes de un látigo destrozaron su espalda. Un comentario menciona que cuatrocientos soldados escupieron Su cuerpo. Su barba fue arrancada de Su cara. Pero *estaba obsesionado con la salvación de la humanidad.*

Y tuvo éxito.

Puedes empezar algo pequeño. Puedes comenzar con muy poco. Pero si lo que amas comienza a consumir tu mente, tus pensamientos, tu conversación, tu agenda—espera un éxito extraordinario.

¿Temes ir al trabajo cada mañana? ¿Miras el reloj ansiosamente esperando que llegue la hora de salida del trabajo cada tarde? ¿Estás divagando en tu mente sobre otros lugares donde te gustaría estar o en otras cosas que te gustaría hacer? Entonces muy probablemente no llegarás a tener mucho éxito en lo que estás haciendo.

Encuentra algo que te consuma, algo que sea digno para que edifiques toda tu vida en torno a ello. Considéralo.

Jesús lo hizo.

Jesús desarrolló una pasión por Sus metas...este es uno de los Secretos del Liderazgo de Jesús.

Oración

Padre, sé que a menos que ponga mi corazón en una meta, no la alcanzaré. Te pido que me des la diligencia y la sabiduría para tornar tu meta en mi deseo más fuerte. Sólo podré sacar algo de provecho de una cosa donde haya puesto antes mi interés. En el nombre de Jesús, amén.

Preguntas

¿Cuál es un deseo especial que tienes en relación a tu futuro?

En un puntaje de uno a diez, ¿cómo medirías tu nivel de pasión para que ese deseo se cumpla?

¿Qué harás los próximos treinta días para poner un plan en acción y así convertir ese deseo en realidad?

Nunca Serás Promovido
Hasta Que Estés
Sobrecalificado Para
Tu Posición Actual.

-MIKE MURDOCK

Copyright © 2001 by Mike Murdock • Wisdom International
The Wisdom Center • 4051 Denton Hwy. • Fort Worth, TX 76117

14

Jesús Respetó La Autoridad

La Autoridad Crea Orden.
Imagina una nación sin líder. Un lugar de trabajo sin jefe. Un ejército sin general. La autoridad crea orden y mantiene las cosas correctamente ordenadas. ¡Esta es la razón por la que tú no estacionas tu auto en el baño! ¡No comes tus alimentos en el garaje! Hay un tiempo y un lugar para todo.

Respeta a los que están en autoridad sobre ti. Ésto repercute en tu éxito. Honra a los que han vivido antes que tú. Ellos poseen una riqueza de conocimiento. Escucha. Aprende. Obsérvalos.

Aprender de nuestro mentor es la llave maestra para el éxito extraordinario.

Jesús entendió esto. Era el Hijo de Dios. Sabía más que cualquier otro ser humano en la Tierra. Aún así, honró la autoridad del gobierno romano. Cuando la gente fue a Él y cuestionó Su opinión de pagar los impuestos al César, respondió: "Dad a César lo que es de César, y a Dios lo que es de Dios" (Marcos 12:17).

¿Estás hablando palabras de duda sobre tu propia organización? ¿Estás minimizando o criticando a los que están en autoridad sobre tí? ¡Deténte ya! Es cierto, los que están en autoridad pueden no ser perfectos. Cometen errores. (¡Quizás esta es la razón por la que te toleran. Si fueran perfectos, quizá no querrían ni dirigirte la palabra!)

Si tú te rebelas en contra de cada instrucción que se te da, entonces no te quejes cuando los que están a tu alrededor comiencen a rebelarse en contra de tus palabras y opiniones. Aprende a honrar y respetar a los que están en autoridad.

Jesús lo hizo.

Jesús respetó la autoridad...este es uno de los Secretos del Liderazgo de Jesús.

Oración

Padre, sé que el respeto por la autoridad viene directo de Tu Palabra. Te pido que me recuerdes a cada paso que mi éxito depende mucho más de mi respeto y actitud hacia los que están en liderazgo sobre mí. Oro para que Tú estés con ellos y los honres en todo lo que hagan. En el nombre de Jesús, amén.

Preguntas

¿Con qué frecuencia oras por los que están en autoridad sobre tu persona?

¿Qué harás los próximos siete días para mostrar honor y aprecio hacia una persona que está en autoridad sobre ti?

15

JESÚS NUNCA DISCRIMINÓ

Trata A La Gente Correctamente.
Hace algunos años, Elvis Presley hizo un concierto en Indianápolis, Indiana. Uno de mis amigos íntimos, un *sheriff* de esa ciudad, estaba a cargo de la seguridad privada. Notó que un hombre vestido con una vieja chamarra rompevientos andaba por ahí, como si fuera un vagabundo. Cuando mi amigo se preparó para desalojarlo del edificio, alguien lo paró y le dijo: "Este hombre es el Coronel Parker, el manager de Elvis Presley". Quedó sorprendido, asombrado. Había juzgado mal al hombre por su apariencia.

Deja de prejuzgar a la gente. Tu primera impresión es siempre limitada. Posiblemente es muy equivocada. *Sólo los tontos hacen decisiones permanentes sin conocimiento*. Nunca asumas que tu intuición o percepción es siempre correcta.

Tu éxito en los negocios será afectado por el prejuicio, el miedo y cualquier discriminación que permitas.

Jesús nunca discriminó por raza, sexo, situación económica o apariencia.

Estaba cómodo en presencia de los pescadores o de los recolectores de impuestos de Su tiempo. Estaba tranquilo con hombres y mujeres, ricos y pobres.

Jesús sabía que toda persona tiene potencial. Él

nunca descalificó a alguien sólo por su pasado. Nacido de una madre que lo concibió en virginidad, sabía lo que significaba tener un trasfondo cuestionable. Él se levantó por encimade ésto.

Jesús rompió con la tradición. Cuando los samaritanos eran considerados una clase inferior de personas y los judíos no les hablaban, Jesús sí les habló. De hecho, invirtió tiempo con la mujer samaritana junto al pozo, hablando sobre su vida entera y cómo Él podía cambiarla.

Pedro lo dijo de esta manera: "Entonces Pedro, abriendo la boca, dijo: En verdad comprendo que Dios no hace acepción de personas" (Hechos 10:34).

Santiago lo escribió con estas palabras: "Porque si en vuestra congregación entra un hombre con anillo de oro y con ropa espléndida, y también entra un pobre con vestido andrajoso, y miráis con agrado al que trae la ropa espléndida y le decís: Siéntate tú aquí en buen lugar, y decís al pobre: Estate tú allí en pie, o siéntate aquí bajo mi estrado; ¿no hacéis distinciones entre vosotros mismos, y venís a ser jueces con malos pensamientos?" (Santiago 2:2-4).

Nunca elimines a nadie de la cadena de tu éxito.

Jesús nunca discriminó...este es uno de los Secretos del Liderazgo de Jesús.

Oración

Padre, sé que Tú has creado a todas las personas y todos son iguales en Tu vista. Gracias por darme la sabiduría para no condenar o prejuzgar a alguien solamente por las primeras impresiones. Confío en Tu paciencia y discernimiento. Tú me revelarás el verdadero carácter y las intenciones, y no confiaré simplemente en las apariencias. En el nombre de Jesús, amén.

Preguntas

¿Qué porcentaje de tu tiempo pasas con gente que viste, actúa y hace cosas como tú?

¿Qué puedes hacer para apoyar e incluir a hombres y mujeres con talentos, niveles de experiencia, trasfondos y culturas diversas en tu grupo de negocios?

Siempre Te Acercarás A
Quien Te Hace
Crecer Y Te Alejarás
De Quien Te Hace
Decrecer.

-MIKE MURDOCK

Copyright © 2001 by Mike Murdock • Wisdom International
The Wisdom Center • 4051 Denton Hwy. • Fort Worth, TX 76117

16

Jesús Ofreció Incentivos

Recompensa A Los Que Te Ayudan A Alcanzar El Éxito.

La gente es motivada por dos fuerzas: el dolor o el placer, el miedo o la recompensa, la pérdida o la ganancia.

Por ejemplo: puedes pedirle a tu hijo que corte el pasto. Él refunfuña y se queja: "Pero papi, no quiero cortar el pasto hoy. Quiero ir a jugar con mis amigos".

Tú tienes dos maneras de motivarlo: el dolor o el placer, el miedo o el incentivo, la pérdida o la ganancia. Por ejemplo, puedes decirle: "Entonces hijo, voltéate. Tendré que disciplinarte con la vara". Esta es la motivación del *dolor*.

O puedes usar el sistema de la recompensa: "Hijo, sé que no quieres hacerlo, pero si lo haces, te pagaré $10". Este es el *incentivo*. La recompensa. La ganancia.

Jesús usó ambos métodos para motivar.

Jesús usó la motivación del miedo con los fariseos que lo ridiculizaban. Les describió cómo el hombre rico fue al infierno y fue "atormentado en esa llama" (Lucas 16:24).

Sin embargo, cuando Jesús hablaba a Sus discípulos, usaba recompensas e incentivos para motivarlos. "En la casa de mi Padre muchas moradas hay; si así no fuera, Yo os lo hubiera dicho; voy, pues, a preparar lugar para vosotros" (Juan 14:2).

Tú fuiste creado con un deseo de *incrementar*. *La disminución no es natural*. Recuerda: cada persona que conoces tiene un *apetito por desarrollarse y crecer*. Quieren ser beneficiados. No hay nada de malo en ésto. Hay un mandamiento dado por Dios en el interior de cada persona para llegar a ser más, *para multiplicarse* (Génesis 1:28).

Examina cuidadosamente los beneficios que tú ofreces a otros. ¿Quién *necesita* tu producto? ¿Por qué lo *necesitan*? ¿*Qué problema* solucionará tu producto en su vida? ¿Qué cosa ofreces a otros que ellos no *pueden encontrar en ninguna otra parte*?

Estudia los incentivos de tu negocio presente. Conócelos "como la palma de tu mano".

La gente nunca compra tu producto por las razones que lo vendes. Compran productos *por el beneficio que obtendrán*.

David preguntó qué recompensas recibiría si mataba al gigante Goliat. Se le dijo que nunca tendría que pagar impuestos de nuevo, y que podría casarse con la hija del rey. Tomó cinco piedras y mató al gigante. *Tenía motivación. Tenía incentivo*.

La gente hace cosas por diferentes razones. Entrevista a la gente. Házle preguntas. Descubre cuáles son sus mayores temores.

Recuerda: tú estás ahí *para resolver un problema*. Tómate el tiempo para mostrar a otros "qué hay en el problema para ellos". Asegúrate de que entiendan las recompensas y los beneficios de trabajar contigo.

Jesús lo hizo.

Oración

Padre, Tú me has hecho un solucionador de problemas. Mi producto está diseñado para resolver los problemas de las otras personas. Tú me has creado para progresar y para ayudar a otros a evitar que decrezcan, ayudándoles a que también progresen. Gracias por esta habilidad. En el nombre de Jesús, amén.

Preguntas

Además de un sueldo, ¿cómo recompensas a los que te ayudan a tener éxito?

Teniendo en mente que las características hablan y los beneficios venden, ¿Cuáles son tres beneficios sobresalientes de tu producto o de hacer negocios contigo?

Dios Nunca Consulta
Tu Pasado
Para Determinar
Tu Futuro.

-MIKE MURDOCK

Copyright © 2001 by Mike Murdock • Wisdom International
The Wisdom Center • 4051 Denton Hwy. • Fort Worth, TX 76117

17

Jesús Venció La Afrenta De Un Pasado Cuestionable

Tu Pasado Terminó.
¿Tienes actualmente dudas sobre ti mísmo? Esto es algo común. Alguna de las razones por la que dudas podría ser por una educación limitada, por haber perdido un ser querido cuando eras chico, por tener un pariente alcohólico, o tienes culpa por un serio error que cometiste cuando eras adolescente.

Pero cualquiera que fuere la razón, es muy importante que recuerdes que tu pasado terminó.

Nunca edifiques tu futuro alrededor de tu pasado.

Jesús nació con una terrible afrenta. Su madre, María, estaba embarazada de Él antes de casarse con José, su prometido. La Biblia dice que ellos no habían tenido relación sexual, pero "lo que en ella es engendrado, del Espíritu Santo es" (Mateo 1:20).

Solo dos personas en el mundo realmente sabían que ella era virgen: Dios y María.

Sin duda, cientos de personas se burlaban y se reían de José por casarse con María. Jesús creció con esto. Salió de la basura del desprecio humano. Pudo escapar de tantos cuestionamientos. Ignoró las acotaciones difamadoras. Conocía la verdad. Sabía quién era y para qué estaba. No le importaba que los demás no creyeran. *Eligió trazar Su propio curso.* Las opiniones de los demás no le importaban.

Jesús nunca miró atrás. Nunca discutió la situación con otra persona. No hay ni una sola escritura en toda la Biblia donde alguna vez haya traído a colación Su trasfondo o Sus limitaciones.

Tú también puedes moverte más allá de las cicatrices del pasado. Deja de hablar sobre tu educación limitada. Deja de quejarte de que todos en tu familia son pobres. Deténte ya de repetir las historias de los que te fallaron. Para de señalar con tu dedo a la economía.

Deja de publicar tu dolor. Acaba de meditar en tus errores. Todos tenemos limitaciones. Cada uno de nosotros está inválido de alguna manera: física, emocional, mental o espiritualmente.

Concéntrate en tu *futuro*.

Jesús lo hizo.

Jesús venció la afrenta de un pasado cuestionable...este es uno de los Secretos del Liderazgo de Jesús.

Oración

Gracias, Padre, por Tu Hijo que murió en la cruz y quitó mi pasado. Tú no miras mi pasado para determinar mi futuro. Sé que si confío en Ti y me concentro en mi futuro, mi éxito está resuelto. En el nombre de Jesús, amén.

Preguntas

¿Cuáles serían tres cualidades especificas que admiras en alguien que ha vencido la a frenta de un pasado cuestionable?

¿Comó has aplicado estas cualidades en tu propia vida?

¿Cómo vences la duda propia?

18

Jesús Nunca Desperdició Tiempo Para Responder A Los Críticos

Los Críticos Son Espectadores, No Jugadores.
La gente crítica son generalmente personas descorazonadas que han fallado en alcanzar una meta deseada. Alguien ha dicho: "La crítica es la gárgara mortal de una persona fracasada".

Nunca se ha erigido un monumento a un crítico.

La gente crítica son personas *decepcionadas*. Personas *desilusionadas*. Gente *desenfocada*. Están heridos por dentro. Edifican su vida con el intento de destruir a otros.

Aléjate de esas personas.

No mal entinendas, el debate es un asunto maravilloso. El conflicto libera mi energía.

Pero existe un lugar para presentar los hechos. Hay un tiempo para el intercambio de información. Las sugerencias constuctivas son siempre perseguidas por los campeones.

Hay también un tiempo *para el silencio*.

Cuando Jesús era ridiculizado en preparación para Su crucifixión, estaba en silencio. "Mas Jesús callaba" (Mateo 26:63). Jesús no se sentía obligado a responder a las críticas. Nunca desperdició tiempo en la gente que, obviamente, trataba de tenderle trampas. Respondió al *hambre*. Respondió a la *sed*. Respondió a los que lo *buscaban*.

Tú no le debes nada a un crítico. "No hables a oídos del necio, porque menospreciará la prudencia de tus razones" (Proverbios 23:9).

La crítica es mortal. La corrección es vida.

La crítica es señalar los errores. La corrección es señalar tu potencial.

Hace mchos años, me senté a la mesa de mi cocina para responder una carta llena de críticas que una dama me había enviado. Trabajé arduamente con mi respuesta. Borré las palabras y escribí nuevas oraciones. Me llevó alrededor de una hora de trabajo exhaustivo lograr con cuidado una respuesta decente a su carta. Pero todavía no estaba satisfecho con mi respuesta. De repente, un pensamiento atravesó mi mente y comencé a reírme. Nunca había pasado una hora entera para escribir una carta a mi propia madre, la persona más querida en el mundo para mí. Nunca pasé una hora para escribir a la mujer que me había llevado dentro de su vientre durante nueve meses, que me dio confort y alimento durante toda mi vida, que me motivó a acercarme a Dios y a aprender a tocar el piano. No invertí todo ese tiempo en la persona más importante de mi vida. Fui un tonto en pasar todo ese tiempo por una crítica.

Jesús ignoró a los críticos.

Jesús nunca desperdició tiempo para responder a los críticos...este es uno de los Secretos del Liderazgo de Jesús.

Oración

Señor, sé que el tiempo que utilizo para responder críticas es tiempo perdido. Te pido que me des fuerzas para elevarme más allá de las críticas, e invertir tiempo en quienes amo y quiero. En el nombre de Jesús, amén.

Preguntas

¿Cómo estableces la diferencia entre las sugerencias constructivas/corrección y la crítica improductiva?

¿Qué puedes hacer para no reaccionar a la crítica?

La Forma En Que Entras
A Una Situación
Puede Decidir La Forma
En Que Sales.

-MIKE MURDOCK

Copyright © 2001 by Mike Murdock • Wisdom International
The Wisdom Center • 4051 Denton Hwy. • Fort Worth, TX 76117

19

Jesús Sabía Que Había Un Tiempo Oportuno Y Un Tiempo Inoportuno Para Acercarse A La Gente

Hay Un Tiempo Para Todo.
Hay un tiempo oportuno para acercarse a la gente.

Supongamos que quieres un aumento de sueldo. Además, deseas que tu jefe sepa que tu puedes aportar conocimientos y soluciones que producirán mucha ganancia a la empresa. Sin embargo, si recién cometiste un error terrible que le costó a la compañia $ 15,000 dólares, ¡ese no es el tiempo oportuno para acercarse y pedir un aumento! Si la compañía ha experimentado recientemente increíbles beneficios por una idea que tú comentaste con tu jefe, ¡ese podría ser el clima y la atmósfera adecuada para planteárselo!

Jesús entendió el tiempo. Pasó treinta años preparándose para su ministerio antes de emprender Su primer milagro. Cuando Su madre le dijo que no había vino en la boda, Jesús le respondió: "Aún no ha venido Mi hora" (Juan 2:4). Nuevamente: aún cuando Su ministerio público ameritaba un debut formal, Jesús honró la fe de Su madre y convirtió el agua en vino.

Hay un tiempo para pedir perdón. Hay tiempo para estar en silencio. Hay un tiempo para presentar ciertas cosas a la gente. Hay un tiempo para esperar.

La gente está en diferentes etapas en sus vidas. Los humores cambian. Las circunstancias afectan sus decisiones. *Sé sensible a esto.*

Un esposo excepcional es el que puede prever las necesidades y los estados de ánimo de su esposa y responder a propiadamente. Es un adolescente brillante el que sabe y entiende el tiempo oportuno para discutir problemas con sus padres.

Jesús entendía el tiempo de oportunidad. Cuando encontraron a la mujer en el acto de adulterio, Su reacción fue única. "Entonces Jesús le dijo: Ni Yo te condeno; vete, y no peques más" (Juan 8:11).

Jesús no ignoró su pecado. No ignoró el tono acusador de los hombres que querían atraparla. Simplemente sabía que había un tiempo correcto para hacer las cosas. No analizó minuciosamente los pecados de la mujer. Tampoco pidió detalles del acto de adulterio. Nunca apuntó al pasado, sino que señaló al futuro. Había un tiempo para esto.

"Todo tiene su tiempo, y todo lo que se quiere debajo del cielo tiene su hora (...) Todo lo hizo hermoso en su tiempo" (Eclesiastés 3:1,11).

Tu éxito depende del *tiempo de oportunidad.* ¡No lo olvides! Ya sea que estés ocupado en la venta a un cliente, o que estés sentado para tratar un tema con tu jefe, permanece sensible. Observa. Mira. Analiza. Escucha el fluir de la información y lo que sucede.

Jesús lo hizo.

Jesús sabía que había un tiempo oportuno y un tiempo inoportuno para acercarse a la gente...éste es uno de los Secretos del Liderazgo de Jesús.

Oración

Padre, Tu Palabra dice que cada cosa tiene su tiempo. Oro para que me des la sabiduría para reconocer el tiempo oportuno para todo lo que hago. Por favor, bendíceme con el entendimiento de que la manera en que entro a una situación puede determinar cómo la dejo. En el nombre de Jesús, amén.

Preguntas

¿Con qué frecuencia oras pidiendo la guía del Señor en relación con el tiempo oportuno *antes* de presentar nuevas ideas o sugerir un cambio en un planteamiento o procedimiento?

¿Qué factores clave consideras para determinar el tiempo oportuno para presentar una propuesta de negocios?

Siempre Recordarás
Lo Que Enseñas.

-MIKE MURDOCK

Copyright © 2001 by Mike Murdock • Wisdom International
The Wisdom Center • 4051 Denton Hwy. • Fort Worth, TX 76117

20

Jesús Instruyó A Quienes Discipulaba

Siempre Recordarás Lo Que Enseñas.
Alguien dijo que no aprendes nada cuando hablas. Sólo aprendes cuando escuchas. Esto es incorrecto. Algunos de los más grandes pensamientos e ideas han surgido en mi mente mientras enseñaba a otros.

Es muy importante que tú seas mentor de alguien. Entrénalo. Enséñale lo que tú sabes, vierte tus conocimientos especialmente sobre aquellos que tienes bajo autoridad, los que con eficacia y dedicación llevan a cabo tus instrucciones, llámese un empleado, un hijo, etc.

Los negocios exitosos tienen empleados que están informados, bien entrenados y serguros de llevar a cabo las instrucciones. Esto lleva tiempo. Hace falta energía. Se necesita gran paciencia.

Toda canción necesita un cantante. Toda persona de éxito necesita motivación. Cada estudiante necesita un profesor.

Jesús fue el gran maestro. Enseñaba a miles a la vez. Algunas veces se sentaba con Sus doce discípulos y les daba información. Los mantenía motivados, influenciados e inspirados.

Les enseñaba sobre la oración (Mateo 26:36-46). les instruía sobre el cielo (Juan 14:2-4). Les enseñaba sobre el infierno (Lucas 16:20-31). Educó a sus *empleados* en muchos temas, que incluían su propósito, el dar y las relaciones.

Jesús enseñaba en las sinagogas (Lucas 13:13). También lo hacía en las aldeas (Marcos 6:6).

Acá está el punto. Ninguno de nosotros nació con gran conocimiento. Tú te convertiste en lo que ahora eres. *Descubriste* lo que sabes. Te costó tiempo, energía y aprendizaje.

Tus empleados no sabrán todas las cosas. Tal vez no vean lo que tú ves. Quizá no sienten como tú sientes. Pueden incluso no haber descubierto lo que tú sabes.

Debes invertir tiempo para nutrir la visión en ellos, el conocimiento de tu producto y las reompensas que quieres que ellos persigan.

Necesitas gente buena a tu alrededor. Necesitas gente *inspirada*. Necesitas gente *informada*. Quizá tú seas la *única* fente de información y motivación de esa gente.

Jesús educó a Su *staff*. Constantemente motivó a la gente que guiaba mostrándoles el futuro de su compromiso presente.

Tómate el tiempo para entrenar a otros.

Jesús lo hizo.

Jesús instruyó a quienes discipulaba...éste es uno de los Secretos del Liderazgo de Jesús.

Oración

Padre, así como Jesús educó a sus discípulos, elijo educar a mis empleados. Gracias por revelarme los medios más efectivos para enseñar y entrenar a los que están a mi alrededor. Sé que sin un sucesor, no hay éxito. En el nombre de Jesús, amén.

Preguntas

¿Cuántos de los logros significativos que has tenido, los puedes atribuir a alguien que se tomó el tiempo para enseñarte o animarte?

¿Qué estás haciendo para preparar a alguien para que sea tu sucesor?

¿A quién estás alentando y enseñando para que sea todo lo que puede llegar a ser?

La Falsa Acusación
Es La Última Etapa
Antes De La Promoción
Sobrenatural.

-MIKE MURDOCK

Copyright © 2001 by Mike Murdock • Wisdom International
The Wisdom Center • 4051 Denton Hwy. • Fort Worth, TX 76117

21

Jesús Rechazó Desaslentarse Cuando Otros Juzgaron Mal Sus Motivaciones

Todos Hemos Sido Juzgados Mal.
Cuando un pastor habla del dar, se arriesga a que lo acusen de avaricia. Cuando ora por los enfermos, se arriesga a ser llamado engañador y defraudador.

Su propia familia puede juzgar mal sus motivaciones. Cualquier persona que lleva a cabo instrucciones tuyas, puede juzgar mal tus acciones.

Tu jefe podría mal interpretarte. Los clientes pueden dudar de tu sinceridad.

No te desalientes por ésto. Tómate el tiempo para considerar tu posición con los que parecen ser genuinamente sinceros. No desperdicies tu tiempo y energía en los que simplemente quieren causar conflicto.

Jesús era constantemente juzgado mal por otros. Los fariseos lo acusaron de estar poseído por espíritus malignos. "Mas los farieos, al oírlo, decían: Este no echa fuera los demonios sino por Beelzebú, príncipe de los demonios" (Mateo 12:24).

Permíteme hacerte algunas sugerencias. Cuando le hables a otros, sé conciso. Sé audaz pero muy preciso en lo que digas. No des lugar a malos entendidos.

Siempre está donde debes estar. Cuando estás en

una conversación con alguien, enfócate totalmente en lo que se estás diciendo. Ciérrate a cualquier otra cosa. Cuando te enfocas totalmente en lo que estás diciendo y oyendo, no tendrás que lamentarse más tarde por esa conversación. Esto puede evitar malos entendidos.

Toda persona extraordinaria y exitosa ha sido mal juzgada. La gente se rió del pensamiento de que podría haber un carruaje sin caballo. Otros se burlaron cuando se inventó el teléfono.

Tu éxito es la otra cara del desprecio y las falsas acusaciones.

Jesús lo sabía.

Jesús rechazó desalentarse cuando alguien juzgó mal sus motivaciones...este es uno de los Secretos del Liderazgo de Jesús.

Oración

Padre, gracias por redimir las situaciones en las que otros me critican o acusan falsamente. Descanso en saber que al ignorar a mis acusadores, al seguir a Jesús como mi modelo, alcanzaré el otro lado de la adversidad: el éxito. En el nombre de Jesús, amén.

Preguntas

¿Qué Escrituras específicas son un aliento para ti cuando enfrentas adversidad?

¿Las has memorizado?

¿Cómo repondes cuando alguien entiende mal tus motivaciones?

¿Con qué frecuencia te reunes con tu staff y asociados, para mantenerlos informados de los proyectos, operaciones y cambios anticipados?

22

Jesús Rechazó Llenarse De Amargura Cuando Otros Fueron Desleales O Lo Traicionaron

La Amargura Es Más Devastadora Que La Traición.

La traición es externa. La amargura es interna. La traición es algo que *otros te hacen*. La amargura es algo que tú te haces a ti mismo.

Miles sobreviven a la traición fácilmente. Muy pocos sobreviven de las corrientes de la amargura. "Mirad bien, no sea que alguno deje de alcanzar la gracia de Dios, que brotando alguna raíz de amargura, os estorbe, y por ella muchos sean contaminados" (Hebreos 12:15).

La deslealtad es producto de un corazón desagradecido. La traición es generalmente hija de los celos.

Todos han experimentado estas trágicas situaciones en su vida. Un compañero desleal. Un empleado que te difama por atrás. Un jefe que te echa sin explicación. Estas cosas duelen. Profundamente.

Jesús estaba cenando con Sus discípulos. "De cierto os digo que uno de vosotros, que come conmigo, me va a entregar" (Marcos 14:18). Cuando Jesús vio que Judas era el que lo traicionaría, también vio algo *más importante* que las heridas de la traición; ¡la redención de la humanidad!

Lée Marcos 14:43-50 y verás una de las experiencias más desmoralizadoras que cualquier ser humano pueda experimentar. Judas traicionó a Jesús con un beso.

Aún así, Jesús rechazó llenarse de amargura.
Tampoco castigó a Judas. Judas se destruyó a sí mismo. Jesús no se separó de Pedro, que lo negó. Pedro clamó por misericordia y perdón, fue restaurado y se convirtió en el gran predicador del día de Pentecostés.

"Quítense de vosotros toda amargura, enojo, ira, gritería y maledicencia, y toda malicia. Antes sed benignos unos con otros, misericordiosos, perdonándoos unos a otros, como Dios también os perdonó a vosotros en Cristo" (Efesios 4:31,32).

Elimina cualquier palabra de amargura en todas las conversaciones. No les recuerdes a las personas tus malas experiencias, a menos que sea para enseñarles y alentarlos a levantarse por encima de sus propias heridas.

Jesús vio el resultado final más allá de la traición.

Jesús rechazó llenarse de amargura.

Jesús rechazó llenarse de amargura cuando otros fueron des leales o lo traicionaron...éste es uno de los Secretos del Liderazgo de Jesús.

Oración

Gracias, Señor, por sacar cualquier amargura de mi corazón. Estaré en guardia en contra de la amargura en el futuro. Recordaré que cuando soy traicionado o juzgado injustamente, puedo pasar por alto la herida y ver que la amargura es sólo un impedimento para el éxito. En el nombre de Jesús, amén.

Preguntas

¿Con qué frecuencia repasas el dolor de una herida pasada?

¿Qué has hecho para estar seguro de que no queda amargura en tu corazón por esa herida?

¿Cómo te cuidarás de la amargura en el futuro?

Paga Lo Que Sea
  Con Tal De Estar
En Presencia De Gente
    Extraordinaria.

-MIKE MURDOCK

Copyright © 2001 by Mike Murdock • Wisdom International
The Wisdom Center • 4051 Denton Hwy. • Fort Worth, TX 76117

23

Jesús Se Relacionó Con Personas De Todos Los Trasfondos Sociales

La Grandeza Está Por Todas Partes.
La gente hace diferentes contribuciones. Yo creo que en tu vida necesitas aportaciones de varias clases. Alguien necesita lo que tu tienes. Tú necesitas algo que otra persona te puede aportar. Tú eres la suma total de tu experiencia.

Las personalidades difieren. Cada persona a tu alrededor tiene un trasfondo diferente de conocimiento. Es tu decisión si "tiras el balde en el pozo de ellos", y lo sacas. "Donde no hay dirección sabia, caerá el pueblo; mas en la multitud de consejeros hay seguridad" (Proverbios 11:14).

Mira quienes rodeaban a Jesús. Un recolector de impuestos. Un médico. Pescadores. Una mujer que había estado poseída con siete demonios...

Algunos eran pobres. Otros ricos. Unos eran muy enérgicos, mientras otros eran pasivos. Algunos eran explosivos como Pedro. Otros, como Santiago, eran lógicos.

Ten disposición para escuchar a los demás. Todos ven las cosas con ojos diferentes. Sienten con corazones diferentes. Oyen con oídos diferentes. *Alguien conoce algo que tú deberías saber.* No lo descubrirás hasta que te tomes el tiempo para detenerte a escuchar lo que te tienen que decir. *Una pieza de información puede convertir el fracaso en un éxito.* Las grandes decisiones son producto de grandes pensamientos.

Jesús se relacionó bien.

Jesús se relacionó con gente de todos los trasfondos...este es uno de los Secretos del Liderazgo de Jesús.

Oración

Me doy cuenta, Señor, que Tu creación ésta llena de muchas personas extraordinarias y diferentes. Dame la sabiduría y la habilidad para reconocer que con quién paso mi tiempo es tiempo invertido en mi éxito y en el de ellos. En el nombre de Jesús, confío en Ti como mi fuente. Amén.

Preguntas

¿Cómo planeas específicamente maneras de pasar tiempo de calidad con una variedad de personas extraordinarias?

¿Cómo registra y guarda el conocimiento y las experiencias importantes que recoges, de modo que puedas recurrir a ellas después?

24

JESÚS RESISTIÓ LA TENTACIÓN

Todos Somos Tentados.
La tentación es la presentación del mal. Es una oportunidad para elegir el placer temporal en vez de la ganancia permanente.

Tú experimentarás muchas temporadas en el trascurso de tu vida. Durante tus años de adolescente, puedes sentir corrientes arrolladoras de lujuria hacia la inmoralidad. En el mundo de los negocios, serás tentado a distorsionar la verdad, a engañar en tus impuestos, o incluso "sacar dínero para tus gastos personales". La infidelidad de pareja es una epidemid. La propaganda audazmente declara la invitación al alcohol. Las drogas están en cada esquina. La cocaína ofrece ser un escape de las complejidades de la vida.

Satanás es un artista maestro.
Jesús enfrentó un adversario persistente e implacable: el diablo. Sucedió después que había ayunado cuarenta días y cuarenta noches. Su defensa era bastante simple: La Palabra *Escrita De Dios*. Te aliento a leer todo el relato en Mateo 4:1-11.

Los cementerios están llenos de personas que fallaron en resistir a Santanás. Las prisiones están colmadas de personas demasiado débiles para pararse en su contra. Los sueños estallan en las rocas de tentación.

Mueve el barco de tu vida lejos de esas rocas. Pregúntale a Sansón y te dirá: "Por una noche de placer no vale la pena una vida de ceguera".

Defiéndete.

Jesús lo hizo.

Jesús reisitió la tentación...este es uno de los Secretos del Liderazgo de Jesús.

Oración

Padre, sé que cuando soy tentado, debo audazmente pararme en la Palabra de Dios. Con la fuerza que me da, puedo resistir la maldad y no sacrificar mi futuro por el presente. En el nombre de Jesús, tengo la convicción de hacer lo que es correcto. Amén.

Preguntas

¿En qué áreas específicas de tu vida luchas con la tentación?

¿Cómo vences estas tentaciones, y qué porcentaje de tiempo logras el éxito?

¿Has identificado y memorizado algunas Escrituras para que te ayuden a vencer estas áreas específicas de tentación en tu vida?

25

Jesús Tomó Decisiones Que Crearon El Futuro Deseado En Vez De Un Presente Deseado

Las Decisiones Crean Eventos.

Si te comes dos rebanadas de pay de nuez todas las noches, ¿cuál será el resultado inevitable? Si fumas dos paquetes de cigarrillos diarios, ¿qué puedes esperar que suceda? Todo lo que estás haciendo hoy tendrá repercusiones en tu presente o en tu *futuro*. La elección es tuya.

Hoy decidirás muchas cosas. Algunas te darán placer immediato, pero el resultado de éstas el día de mañana te hará miserable. Algunas de esas decisiones podrían incomodarte hoy un poco, pero mañana te harán estremecer.

Esta noche te sentarás a cenar. Se te hará agua la boca al ver la hermosa torta de chocolate que alguien ha preparado. Tú tomarás una decisión respecto a ese pastel de chocolate. Si te lo comes, hoy será un deleite al paladar. Mañana a la mañana estarás enojado contigo mismo por no haberlo rechazado. Mira ese pedazo de pastel y dí: "Voy a tomar una decisión que *beneficie mi futuro*. Lo rechazo". ¡Esa es la decisión de un campeón!

Jesús pudo haber llamado a diez mil ángeles para que lo libraran de la crucifixión. Pudo haber descendido de la cruz. Pero tomó la decisión en el jardín de Getsemaní que creó un futuro increíble. *Él estuvo dispuesto a pasar un tiempo de dolor para crear una eternidad de ganancia.*

"Porque esta leve tribulación momentánea produce en nosotros un cada vez más excelente y eterno peso de gloria" (2 Corintios 4:17).

Los que esperan generalmente ganan. Los que rechazan esperar generalmente pierden. La paciencia es poderosa. Es productiva.

Reprograma tu pensamiento a largo plazo. Reprograma tu vida para resistir. Comienza a pensar "a largo plazo" sobre tus hábitos de comida, tu vida de oración y tus amistades.

Jesús era una persona que pensaba a largo plazo.

Jesús tomó decisiones que crearon un futuro deseado en vez de un presente deseado...éste es uno de los Secretos del Liderazgo de Jesús.

Oración

En el nombre de Jesús, me comprometo a pensar a largo y no a corto plazo. Sé que cada una de las decisiones que tomo tiene un impacto sobre mi futuro. Gracias, Padre, por darme la sabiduría para tomar decisiones que crean mi futuro deseado. Amén.

Preguntas

¿Cómo necesitas mejorar la efectividad de tu proceso de tomar decisiones para crear el futuro que deseas?

¿Con qué frecuencia oras *antes* de tomar decisiones? ¿Oras el tiempo correcto, o lo haces "a las carreras"?

¿Qué porcentaje de tus decisiones están basadas en resultados a largo plazo *versus* los resultados a corto plazo?

26

Jesús Nunca Juzgó A La Gente Por Su Apariencia Externa

Nadie Es Como Parece La Primera Vez Que Lo Vemos.

El empaque es engañoso. Las cajas de cereal hacen de un ordinario cereal la comida más emocionante del mundo. Se gastan miles de millones de dólares en empaques.

No me mal interpretes. La ropa es muy importante. La apariencia vende o desalienta. Proverbios 7 habla de la ropa de una prostituta. Proverbios 31 describe la ropa de una mujer virtuosa. Decididamente, *es sabio crear un clima de aceptación.* Noemí, la mentora de Rut, la instruyó a ponerse perfume y cambiar sus ropas antes de que fuera a encontrarse con Booz, su futuro esposo.

Pero algo es más importante que el empaque: *la persona.*

Jesús vio a una mujer herida y cansada que había estado casada cinco veces. Vio más allá de sus fracasos y reputación. Vio su corazón. Vio en ella *el deseo de ser cambiada.* Era el puente de oro para que Jesús entrara en los corazones de muchas de las personas en aquella ciudad. "Y muchos de los samaritanos de aquella ciudad creyeron en él por la palabra de la mujer, que daba testimonio diciendo: Me dijo todo lo que he hecho" (Juan 4:39).

La gente vio a Zaqueo como un engañoso recolector de impuestos. Jesús lo vio como a un hombre confundido que anhelaba un cambio de corazón. El pueblo de Israel vio en Absalón a un líder elegante y buen orador. Pero era un traidor y mentiroso. Sansón pensó que Dalila era la mujer más bella que había conocido. Ella fue la trampa que destruyó su estatus de campeón.

Una historia interesante fue compartida recientemente por una amiga mía en Florida. Ella tiene una tienda de ropa. Me dijo: "He visto mujeres que entraron a mi tienda que parecían no tener ni un centavo, sin embargo, gastaban miles de dólares en ropa, se metían en sus limusinas y se iban. No se podía calcular lo que ellas poseían por la ropa que usaban".

Nada es igual como parece la primera vez.

Empieza por escuchar las actitudes de la gente. Empieza escuchando sus heridas. No los juzgues mal.

Jesús lo sabía.

Jesús nunca juzgó a la gente por su apariencia externa éste es uno de los Secretos del Liderazgo de Jesús.

Oración

Padre, te pido madurez para no juzgar a otros por su apariencia, sino enfocarme en su corazón y ver de qué manera puedo influir en ellos. Señor, Tú me has dado la compasión para alcanzar a otros. Ayúdame a ayudarlos. En el nombre de Jesús, amén.

Preguntas

¿De qué manera extrae las cualidades escondidas en la gente a tu alrededor?

¿Cómo celebras la originalidad de ellos?

27

JESÚS RECONOCIÓ LA LEY DE LA REPETICIÓN

Lo Que Escuchas Repetidamente Terminarás Creyéndolo.

Los maestros saben que la ley básica del aprendizaje es la *repetición*. Alguien dijo que debes oír algo dieciséis veces antes de creerlo realmente.

Observa los comerciales de televisión. Has visto los mismos repetidamente. Los carteles publicitarios anuncian refrescos de marcas conocidísimas una y otra vez. ¿Por qué? Porque debes ver y oír algo repetidamente antes de responder al estímulo.

Simplemente lleva *tiempo* absorber un mensaje.

Jesús enseño a la gente las mismas verdades una y *Otra Vez*. "Otra vez Jesús les habló..." (Juan 8:12).

Alguien te enseñó todo lo que sabes hoy. Tú eres el resultado de un *proceso*. Hubo un tiempo en tu vida cuando no podías deletrear la palabra "gato" o recitar números, pero alguien fue paciente y te enseñó.

Los exitosos entienden la necesidad de enseñar a quienes los rodean, *una y otra vez*.

No esperes que los que están a tu lado entiendan todo instantáneamente. Tú no lo entendiste. Ellos tampoco. Lleva tiempo crecer en grandeza.

Jesús lo sabía.

Oración

Señor, sé que lo que continuamente oigo es lo que finalmente creeré. Por favor, enséñame a poner este principio en operación para Tu gloria y mi éxito, al enseñar a otros el conocimiento que me has dado. Dame la gracia para ser paciente mientras ellos aprenden. En el nombre de Jesús, amén.

Preguntas

¿Qué técnicas usas para reforzar lo que enseñas, para que otros puedan aprenderlo y aplicarlo efectivamente?

¿Cómo repite los puntos clave en conversaciones informales para ayudar a otros a asimilar por dentro lo que ellos necesitan saber?

¿Con qué frecuencia repites los puntos clave en conversaciones informales para ayudar a los demás a interiorizar lo que necesitan saber?

28

Jesús Era Un Pensador Del Mañana

Conviértete En Un "Pensador Del Mañana".
Una de las grandes compañías en Japón tiene un plan detallado para los próximos cien años. Son *"pensadores del mañana"*.

Jesús fue un "pensador del mañana". Cuando se encontró con la mujer samaritana en el pozo, mencionó ligeramente que ella había estado casada cinco veces. *Él apuntó hacia su futuro.* Dijo que le daría agua, y que nunca más tendría sed.

Otra ilustración de "pensamiento del mañana" está relacionado con la mujer que fue hallada en el acto de adulterio. Jesús nunca habló de su pecado. Simplemente le dijo: "Ni Yo te codeno; vete, y no peques más" (Juan 8:11).

"No os acordéis de las cosas pasadas, ni traigáis a memoria las cosas antiguas. He aquí que Yo hago cosa nueva; pronto saldrá a luz; ¿no la conoceréis? Otra vez abriré camino en el desierto, y ríos en la soledad" (Isaías 43:18,19).

Satanás considera tu pasado. Parece ser que es la única información que tiene. Jesús se enfoca en el *futuro*. Él entra a tu vida para terminar con tu pasado y dar a luz tu mañana.

Deja de hacer viajes al ayer.

Jesús se concentró en el futuro.

Jesús era un pensador del mañana...este es uno de los Secretos del Liderazgo de Jesús.

Oración

Padre, te agradezco de que me hayas dado un nuevo comienzo. Gracias por señalar mi éxito futuro. Tú has limpiado mi corazón. Ahora avanzaré y no me quedaré en lo que pasó, sino en lo que viene. En el nombre de Jesús, amén.

Preguntas

¿En qué etapa de tu carrera quieres estar de aquí a un año?

¿Cuáles son los tres pasos específicos que necesitas tomar para llegar allí?

¿Qué obstáculos ves por anticipado? ¿Cómo los vencerás?

29

Jesús Sabía Que El Dinero Por Sí Solo No Puede Traer Contentamiento

La Gente Rica No Siempre Es Feliz.
Tus manos pueden estar llenas de dinero. Tu cabeza puede estar llena de información, pero si tu corazón está vacío, tu vida está vacía.

El dinero es para estar en movimiento, no para acumularlo. Esta es la razón por la que la Biblia habla sobre "el engaño de las riquezas".

Jesús vio esto. Le habló a los ricos. Miró dentro de sus ojos y vio un anhelo por *algo que el dinero no podía comprar.* Los ricos vinieron a Él muy entrada la noche, cuando las multitudes se habían ido.

Estaban solos. "...porque la vida del hombre no consiste en la abundancia de los bienes que posee" (Lucas 12:15).

Salomón fue un rey rico. Y confesó: "Aborrecí, por tanto, la vida..." (Eclesiastés 2:17).

Piensa por un momento. Probablemente hoy tengas mucho más que en cualquier otro tiempo de tu vida. ¿Sientes más gozo que en cualquier otro momento de tu existencia? ¿Te ríes más ahora que nunca? ¿Disfrutas de tus amistades más que nunca? Sé honesto contigo mismo.

Jesús sabía que "los ojos del hombre nunca están

satisfechos" (Proverbios 27:20). *Algunas cosas importan más que el dinero.*
Jesús lo sabía.
Jesús sabía que el dinero por sí solo no puede traer contentamiento...éste es uno de los Secretos del Liderazgo de Jesús.

Oración

Padre, al lograr el éxito, por favor recuérdame y dame la Sabiduría para saber que el dinero no es el "fin", sino un "medio". El dinero en sí mismo no puede traerme felicidad, pero darlo para ayudar a otros sí. Gracias porque muchas cosas importan más que el dinero. En el nombre de Jesús, amén.

Preguntas

Al crecer tu ingreso, ¿cómo te protegerás para no enfocarte en el dinero y en las cosas que puedes comprar, en vez de enfocarte en lo que Dios te permite hacer con ese dinero?

¿Qué clase de ejemplo estableces para tu familia y para otros a tu alrededor en relación al diezmo y al dar para la obra del reino de Dios?

30

Jesús Conocía El Poder De Las Palabras Y El Poder Del Silencio

"El que ahorra sus palabras tiene sabiduría; De espíritu prudente es el hombre entendido. Aun el necio, cuando calla, es tomado por sabio; El que cierra los labios es entendido" (Proverbios 17:27,28).

Las Palabras no son baratas.

Las guerras comienzan por *palabras*. La paz viene cuando grandes hombres se reúnen, negocian y dialogan. *Las palabras unen a las personas.* Las palabras son el puente a tu futuro.

Las palabras *crearon el mundo* (Génesis 1:3-31).

Las palabras *crean tu mundo* (Proverbios 18:21).

Jesús dijo que tus palabras revelan la clase de corazón que posees. "...porque de la abundancia del corazón habla la boca" (Lucas 6:45).

Jesús dijo que las palabras pueden mover montañas (Marcos 11:23).

Hay un tiempo para *hablar*. Hay un tiempo para *escuchar*. Hay un tiempo para *moverse*. Hay un tiempo para *permanecer quietos*. Cuando la gente tenía hambre de conocimiento, Jesús hablaba y enseñaba durante horas, pero cuando llegó al pretorio, ante Poncio Pilato, donde la verdad era ignorada, se quedó en silencio.

Tus *palabras* importan. La conversación importa. "Mas Yo os digo que de toda palabra ociosa que hablen los hombres, de ella darán cuenta en el día del juicio. Porque por tus palabras serás justificado, y por tus palabras serás condenado" (Mateo 12:36,37). Guarda silencio acerca de las injusticias en tu contra. Guarda silencio al considerar las debilidades de otros. Permanece callado en vez de publicar tus propios errores.

Jesús sabía cuándo debía hablar y cuándo escuchar.

Oración

Padre, dame el entendimiento de que mis palabras son como el dinero. Por cada una hay que dar cuenta y no deben gastarse sin Sabiduría. Enséñame a vigilar mi lengua y a abrir mis oídos para escuchar. En el nombre de Jesús, te agradezco porque sabré cómo hablar y cómo escuchar. Amén.

Preguntas

¿De cuántas formas crees que necesitas controlar tu lengua y ser también un mejor oyente?

¿Qué acción tomará durante los próximos veintiún días para cambiar tu manera de usar tu lengua y de escuchar?

31

Jesús Sabía Que Cuando Quieres Algo Que Nunca Has Tenido, Debes Hacer Algo Que No Has Hecho Nunca

Todo Es Difícil Al Principio.
Cuando comienzas a gatear, es muy difícil. Cuando diste tu primer paso y te caíste, fue algo muy difcícil.

Miles fracasarán en la vida porque no están dispuestos a hacer cambios. Se rehúsan a cambiar de trabajo, de ciudad o de amistades. Permanecen en las zonas de confort. Pero otros miles suben la escalera de la felicidad, porque están dispuestos a atravesar un poco de incomodidad para experimentar un nuevo nivel de vida.

Pedro quería caminar sobre las aguas. Jesús vio su emoción. Entonces le dio una simple instrucción para que Pedro hiciera algo que nunca había hecho antes. "Y le dijo: Ven. Y descendiendo Pedro de la barca, andaba sobre las aguas para ir a Jesús" (Mateo 14:29).

Jesús siempre le pidió a la gente que hiciera algo. Y siempre era algo que nunca habían hecho antes. Sabía que la obediencia era la única prueba de fe.

Escucha las instrucciones a los israelitas. "Marchad alrededor de Jericó seis días en ronda, y luego siete veces el día séptimo" (Josué 6).

Escucha las instrucciones del profeta al leproso: "Vé, sumérgete en el río Jordán siete veces. Serás sanado la séptima vez" (2 Reyes 5).

Rut dejó su país natal de Moab para estar con Noemí y conoció a Booz, que cambió su vida para siempre (Libro de Rut).

Elías extendió la fe de la viuda que iba a comer su última cena. Dos tortas antes de morir...él la motivó para que hiciera algo que nunca había hecho: *dar* de lo poco que tenía a alguien que ni siquiera conocía y *creerle* a la palabra del profeta de Dios por su provisión futura en medio del hambre. Ella vio suceder el milagro (1 Reyes 17).

Miles fracasarán en la vida porque no están dispuestos a hacer cambios.

Jesús sabía cómo extender la fe de la gente. Los motivaba. *Los ayudaba a hacer cosas que nunca antes habían hecho, para crear cosas que nunca habían tenido.*

Jesús hizo cosas nuevas.

Jesús sabía que cuando tú quieres algo que nunca has tenido, necesitas hacer algo que nunca has hecho...éste es uno de los Secretos del Liderazgo de Jesús.

Oración

Padre, ayúdame a salir de mi zona de comodidad y darme cuenta de que para lograr algo que nunca he tenido, debo hacer algo que nunca hice. En el nombre de Jesús, amén.

Preguntas

¿Cómo te siente cuando se te pide que hagas algo que nunca has hecho?

¿Qué recursos utilizas para ser exitoso cuando tienes que salir de tu zona de comodidad?

¿Qué ayuda le provees a otros cuando les pides que hagan algo que nunca han hecho?

32

JESÚS PERMITIÓ QUE LAS PERSONAS CORRIGIERAN SUS ERRORES

Todos Cometemos Errores. Todos.
Examina las biografías de los multimillonarios. Muchos han experimentado bancarrotas varias veces. Simplemente descubrieron que el fracaso no es fatal. *El fracaso es simplemente una opinión.*

Jesús nunca se desconectó de los que cometieron errores con sus vidas.

Pedro fue uno de Sus discípulos favoritos. Pedro negó a Jesús. Luego confesó su pecado, y Jesús lo perdonó. Y se convirtió en uno de los más grandes apóstoles en la historia de la iglesia.

David cometió adulterio con Betsabé. Dios lo perdonó. Mira a Sansón. Cayó en tentación sexual con Dalila, aun así es uno de los campeones de la fe mencionados en Hebreos 11:32.

Aprende a perdonarte a *tí mismo*. Aprende a perdonar a *otros*. Todo mundo lastima a alguien. Sus errores permanecen en su mente. *Dále a esas personas otra oportunidad.*

Los errores son corregibles.
Jesús lo sabía.
Jesús permitió que las personas corrigieran sus errores...este es uno de los Secretos del Liderazgo de

Jesús.

Oración

Padre, así como Tú me has perdonado, pon dentro de mí la responsabilidad para perdonarme y perdonar a otros. Tú sabes por adelantado mis errores. Enséñame a darle a la gente otra oportunidad. En el nombre de Jesús, amén.

Preguntas

¿Qué fracaso has experimentado en tu carrera?
¿Cómo te benefició ese fracaso al final?
¿Cómo respondes cuando alguien falla en algo importante para ti?

33

Jesús Conocía Su Propio Valor

Conoce Tu Don.

Muchos a tu alrededor quizás nunca te descubran. En realidad no es importante que lo hagan. *Lo que es importante es que te descubras a tí mismo, a tus dones y a tus talentos.*

Popularidad es cuando tú le agradas a otras personas. La Felicidad es cuando tú te agradas a ti mismo.

Hay una escena interesante cuando Jesús visitó el hogar de Lázaro y sus dos hermanas, María y Marta. Marta, ocupada en sus tareas, estaba enojada con su hermana, quien simplemente estaba sentada a los pies del Maestro y escuchaba cada palabra que Él decía. Cuando Marta se quejó, Jesús respondió: "María ha elegido la mejor parte" (Lucas 10:42).

Jesús conocía Su valor personal. Sabía que Sus propias palabras eran vida. Estaba increíblemente serguro y *esperaba ser tratado bien*.

Jesús honró a los que discernían Su valor.

Jesús también reaccionó favorablemente ante una mujer que le lavó Sus pies. "¿Ves esta mujer? Entré en tu casa, y no me diste agua para mis pies; mas esta ha regado mis pies con lágrimas, y los ha enjugado con sus cabellos. No me diste beso; mas esta, desde que entré, no ha cesado de besar mis pies. No ungiste Mi cabeza con aceite; mas ésta ha ungido con perfume Mis pies" (Lucas 7:44-46).

Jesús conocía Su valor.

Oración

Padre, Tú me has creado. Tu Palabra proclama que Tú nos ha creado para Tu placer. Enséñame a aceptarme y gustarme.

La felicidad comienza con gustar quien yo soy. En el nombre de Jesús, amén.

Preguntas

¿Cuáles serían las tres palabras positivas que mejor describen quién eres tú?

¿Qué es lo que hace muy bien que puede compartir con otros?

¿Cómo lo compartirá con alguien en los próximos diez días?

34

Jesús Nunca Trató De Tener Éxito Él Solo

Tú Necesitas A La Gente.
Tú Necesitas A Dios.
Todo lo que tienes viene de Dios. El éxito es una colección de relaciones. Sin clientes, un abogado no tiene carrera. Sin pacientes, un médico no tiene a nadie para sanar. Sin un compositor, un cantante no tiene nada que cantar.

Tu futuro está conectado con la gente; entonces desarrolla el don de gentes.

Jesús constantemente hablaba a Su Padre Celestial. Habló a Sus discípulos. Les habló a todos. A los doce años, intercambiaba charlas con los escribas y los sacerdotes en el templo. Habló con los recolectores de impuestos, con los pescadores, con los doctores y los abogados. Dijo: "No puedo yo hacer nada por Mí mismo" (Juan 5:30).

Tu necesitas solucionadores de problemas en tu vida.

Necesitas un buen abogado, un buen médico y un buen asesor financiero. Necesitas a tu familia. Necesitas a tu piadoso pastor. Necesitas a la gente.

Escucha la voz interior del Espíritu Santo hoy. Obedece cada instrucción.

Jesús lo hizo.

Jesús nunca trató de tener éxito Él solo...éste es uno de los Secretos del Liderazgo de Jesús.

Oración

Padre, ningún hombre puede triunfar sin otros. Por favor, dame la guía y la Sabiduría para saber con quién puedo contar. Sé que mi vida depende de otras personas y cómo las ayude. En el nombre de Jesús, amén.

Preguntas

¿Cuáles serían 3 talentos que tú careces y que buscas en otros en tu equipo?

¿Qué estás haciendo para que brille la singularidad de cada miembro de tu equipo?

35

Jesús Sabía Que El Dinero Está En Cualquier Lugar Donde Quieras Que Esté Realmente

El Dinero Está En Todas Partes.
El dinero es cualquier cosa de valor. Tu *tiempo* es dinero. Tu *conocimiento* es dinero. *Tus talentos, dones y habilidades son dinero.*

Deja de ver el dinero sólo como algo que llevas en tu billetera. Mira el dinero como *cualquier otra cosa que posees y que puede resolver el problema de alguien.*

El dinero está en todas partes. Jesús sabía que el dinero existe incluso en los lugares más extraños. El dinero está *en cualquier lugar donde quieras que esté realmente.*

El coronel Sanders quería que estuviera *en algo que él amaba,* en su original pollo frito y fundó su cadena de restaurantes. Mohammad Alí encontró su éxito financiero en el boxeo.

Pedro era un pescador. El dinero era necesario. Jesús le dijo dónde podía hallar el dinero. "Sin embargo, para no ofenderles, vé al mar, y echa el anzuelo, y el primer pez que saques, tómalo, y al abrirle la boca, hallarás un estatero; tómalo, y dáselo por Mí y por ti" (Mateo 17:27).

¿Amas las flores y anhelas ganarte la vida con una florería? Allí puede estar tu dinero.

Jesús sabía que el dinero existía por *todas partes*.

Jesús sabía que el dinero está en cualquier lugar donde quieras que esté realmente...éste es uno de los Secretos del Liderazgo de Jesús.

Oración

Señor, sé que Tú no estás limitado por las crisis económicas de este mundo. Por favor, enséñame a resolver los problemas para otros y crear un fluir de finanzas necesario para mi vida. En el nombre de Jesús, amén.

Preguntas

¿Qué tan rico eres si consideras al dinero como cualquier otra cosa que posees, capaz de resolver un problema para alguien?

¿Cuáles serían tres formas en que has ayudado a resolver un problema para alguien usando ésta nueva definición de dinero?

36

JESÚS ESTABLECIÓ METAS ESPECÍFICAS

Decide Lo Que Realmente Quiere.
En 1952, una universidad importante descubrió que sólo tres de cien graduados habían escrito una clara lista de metas. Diez años más tarde, un estudio de seguimiento mostró que tres por ciento de la clase había logrado más financieramente que el restante noventa y siete por ciento.

Ese tres por ciento fueron los *mismos graduados* que habían *escrito sus metas.* "Y el Señor me respondió: Escribe la visión, y haz que resalte claramente en las tablillas, para que pueda leerse de corrido" (Habacuc 2:2 NVI).

Cuando decides exactamente *"qué quieres"*, el *"cómo hacerlo"* emergerá.

Jesús conoció Su propósito y misión. "Porque el Hijo del Hombre vino a buscar y a salvar lo que se había perdido" (Lucas 19:10).

Jesús conocía el producto que tenía para ofrecer: "El ladrón no viene sino para hurtar y matar y destruir; yo he venido para que tengan vida, y para que la tengan en abundancia" (Juan 10:10).

Jesús tenía un sentido de destino. Sabía a dónde quería ir. Sabía dónde lo necesitaba la gente (Juan 4:3).

Jesús sabía que los exitosos estaban orientados al detalle. "Porque ¿quién de vosotros, queriendo edificar una torre, no se sienta primero y calcula los gastos, a ver si tiene lo que necesita para acabarla?" (Lucas 14:28).

Toma cuatro hojas de papel. En la parte superior de la hoja número uno, escribe: "Los sueños de toda la vida, y las metas".

Escribe en total todo lo que te gustaría llegar a ser, hacer o tener durante tu vida.

Escribe tus sueños detalladamente en el papel.

Toma la hoja número dos y escribe: "Mis metas anuales".

Escribe todo lo que quieres dentro de los próximos doce meses.

Toma la hoja número tres y escribe: "Mis metas mensuales".

Enumera todo lo que quieres lograr dentro de los próximos trienta días.

Toma la cuarta hoja y escribe: "Mi rutina diaria ideal".

Escribe las seis cosas más importantes que harás en las próximas veinticuatro horas.

El secreto de tu futuro está escondido en tu rutina diaria. Establece tus metas.

Jesús lo sabía.

Jesús estableció metas específicas...este es uno de los Secretos del Liderazgo de Jesús.

Oración

Padre, Tú has colocado dentro de mí la habilidad y el deseo para tener éxito. Planearé y escribiré mi plan para el éxito. Te pido el discernimiento de Tu plan para mi vida. En el nombre de Jesús, amén.

Preguntas

Al seguir las instrucciones de arriba para crear tu lista de sueños, ¿Cómo te sentiste al ver tus sueños escritos en el papel?

¿Qué necesitarás para hacer que el establecimiento de metas se convierta en una rutina en tu vida?

¿Qué harás en los próximos siete días para establecer esta rutina?

Cualquier Cosa Que
Poseas Hoy Es
Suficiente Para Crear
Cualquier Cosa Que
Quieras En Tu Futuro.

-MIKE MURDOCK

Copyright © 2001 by Mike Murdock • Wisdom International
The Wisdom Center • 4051 Denton Hwy. • Fort Worth, TX 76117

37

Jesús Sabía Que Todo Gran Logro Demanda La Disposición De Empezar En Pequeña Escala

Todo Lo Grande Comienza En Pequeño.
Piensa sólo por un momento. Un árbol de roble comenzó como una bellota. Un hombre de dos metros de alto comenzó como un pequeño embrión en el útero de una madre.

Disponte a empezar en pequeño. *Comienza con cualquier cosa que tengas.* Todo lo que posees es un punto de partida. No seas como el hombre en la Biblia que tenía un talento y rechazó usarlo. *Usa cualquier cosa que se te haya dado, y vendrá más a tu vida.*

Jesús comenzó en un establo. Pero no se quedó allí. Anduvo treinta años sin hacer ni un solo milagro. Pero un día hizo el primero. El resto es historia.

David tenía una honda, pero se *convirtió* en un rey.

José fue vendido como esclavo, pero se *convirtió* en el Primer Ministro de Egipto.

La viuda de Sarepta tenía una pequeña torta, pero la sembró en el reino de Dios y creó una provisión continua durante el tiempo de hambre.

Cualquier cosa que se te haya dado, es suficiente

para crear algo que se te haya prometido.

"Porque los que menospreciaron el día de las pequeñeces se alegrarán" (Zacarías 4:10a). "Porque mandamiento tras mandamiento, mandato sobre mandato, renglón tras renglón, línea sobre línea, un poquito allí, otro poquito allá" (Isaías 28:10).

Cualquier cosa que poseas hoy es suficiente para crear cualquier cosa que quieras para tu futuro.

Jesús existió antes de la fundación del mundo. Recordaba cuando la Tierra y la raza humana ni siquiera existían. Esta es la razón por la que no se preocupaba por su nacimiento en un establo.

Jesús sabía que las cosas grandes comienzan pequeñas.

Jesús sabía que todo gran logro demanda la disposición de empezar en pequeña escala...éste es uno de los Secretos de Liderazgo de Jesús.

Oración

Padre, gracias porque me has equipado ahora con lo que tengo para lograr el éxito. Sé que si estoy dispuesto a comenzar pequeño y servir a otros, Tú me honrarás y me elevarás a una posición superior. En el nombre de Jesús, amén.

Preguntas

¿Has visto a Dios tomar un pequeño comienzo y tornarlo en un gran éxito en tu carrera o en otra persona que tú conozcas?

¿Cómo manejaste el tiempo de espera cuando tu carrera no progresaba tan rápidamente como querías?

38

JESÚS SE DOLÍA CUANDO OTROS SE DOLÍAN

Alguien Cerca De Ti Está En Problemas.
¿Realmente lo has notado? ¿Te importa? Todos se hieren en algún momento. *Cuando otros se hieren, trata de sentirlo.*

Tú eres la solución para alguien con un problema. Encuéntralos. Está atento al clamor de esas personas.

Tú eres su "salvavidas". Tienes la llave para su cerradura. Siéntela.

Jesús lo hizo. No se escondió en el palacio. No era un solitario. Caminó por donde la gente caminaba. *Se dolía cuando la gente estaba dolida.*

"Y saliendo Jesús, vio una gran multitud, y tuvo compasión de ellos, y sanó a los que de ellos estaban enfermos" (Mateo 14:14).

Jesús siente lo que tu sientes. "Porque no tenemos un sumo sacerdote que no pueda compadecerse de nuestras debilidades, sino uno que fue tentado en todo según nuestra semejanza, pero sin pecado" (Hebreos 4:15).

Tu comenzarás a tener éxito en tu vida cuando las heridas y los problemas de otros comiencen a importarte.

Hace varios años, se me invitó a asistir a la celebración navideña de una reconocida firma de abogados en Dallas. Uno de los abogados más jóvenes me contó una historia inolvidable esa noche. Él era el aprendiz de uno de los grandes doctores en leyes en el oeste medio. Este abogado renombrado ganaba prácticamente todos sus casos. En realidad, todos estos casos le produjeron millones de dólares. El abogado joven simplemente no podía entenderlo. Dijo: "La investigación era normal. El material de lectura paracía normal. La infomación que habíamos recolectado parecía nada fuera de lo común antes que se enfrentara al jurado".

Luego siguió expresando: "Pero tendrías que ver la forma de caminar de un lado a otro frente al jurado. Cuando hablaba, se notaba cómo se transformaban los rostros de los miembros de la corte. Cuando deliberaban y daban su veredicto, siempre sus clientes se veían beneficiados por las sentencias".

Esa noche en la fiesta de Navidad, el abogado joven nos explicó cómo sondeó a su mentor. Le dijo: "Usted debe contarme su secreto. Lo observamos cuidadosamente. Hemos leído su material, pero ninguno de nosotros, los de su equipo, puede descubrir por qué los jurados regresan con veredictos a su favor, aun cuando esto signifique un millón de dólares. Es un misterio que no podemos descifrar".

El abogado viejo dijo: "Me gustaría contarle, pero realmente no me creería si lo hiciera".

El joven lo sodeó mes tras mes. Por un largo tiempo el mentor insistió: "Realmente no significaría nada para usted".

Finalmente un día, cuando el joven iba a dejar su firma para trasladarse a otra ciudad, el abogado mentor le dijo: "Sube al auto conmigo". Se fueron a una tienda de abarrotes. El abogado viejo llenó la parte de atrás de su auto con los víveres que compró, y comenzaron el camino hacia el campo. Había nevado. Estaba demasiado helado y el frío era penetrante. Finalmente, llegaron a una granja muy modesta. El viejo mentor le pidió al abogado joven que lo ayudara a meter las bolsas de víveres.

Cuando entraron a la casa, el joven vio a un pequeño sentado en un sofá. Miró con más atención y notó que el niño tenía ambas piernas cortadas. Habiá sido la consecuencia de un accidente de tránsito. El viejo le habló a la familia durante un rato y dijo: "Solo pensaba traerles algunos comestibles, ya que sé cuán difícil es para ustedes salir con este clima tan duro".

Cuando volvían a la ciudad, el abogado viejo miró al joven y le dijo: "Es bastante simple. A mi *realmente me interesan mis clientes. Creo* en sus casos. *Creo* que ellos merecen los mejores convenios que puedan ser alcanzados. Cuando me paro delante del jurado, de algún modo ellos lo sienten. Vuelven con los veredictos que deseo. *Siento lo que mis clientes sienten.* Los miembros de la corte sienten lo que yo siento".

Jesús se dolió cuando otros se dolían...este es uno de los Secretos de Liderazgo de Jesús.

Oración

Padre, por favor abre mis ojos a los heridos que están a mi alrededor. Enséñame que el logro y el éxito incluyen el cuidado de los que están a mi lado. Ayúdame a tener compasión de los lastimados y quebrantados. En el nombre de Jesús, amén.

Preguntas

¿Qué líderes has observado que muestran compasión?

¿Cómo incorporas lacompasión a tu estilo de liderazgo?

El Problema Que Más
 Te Enfurece Es El Que
Dios Te Asignó
 Para Que Resuelvas.

-MIKE MURDOCK

39

JESÚS NO TENÍA MIEDO DE MOSTRAR SUS SENTIMIENTOS

Las Emociones Dictan Los Acontecimientos Del Mundo.

Un líder mundial enojado ataca a otro país. Los empleados enojados de líneas aéreas hacen huelga en los aeropuertos. Una madre a quien un conductor borracho le ha matado a su hijo emprende una campaña nacional. Miles se reagrupan para detener los abortos de millones de bebés.

Los sentimientos sí importan en la vida.

En los negocios, los sentimientos son contagiosos. Cuando un vendedor está emocionado con un producto, el cliente lo siente y es influenciado por este sentimiento.

Jesús no tenía miedo de expresarse a sí mismo.

Cuando se enojaba, otros lo sabían. "Estaba cerca la pascua de los judíos, y subió Jesús a Jerusalén, y halló en el templo a los que vendían bueyes, ovejas y palomas (...) y haciendo un azote de cuerdas, echó fuera del templo a todos, y esparció las monedas de los cambistas y volcó las mesas" (Juan 2:13-15).

Jesús fue profundamente movido a compasión cuando vio las multitudes que vagaban sin propósito ni dirección. "Y al ver las multitudes, tuvo compasión de ellas; porque estaban desamparadas y dispersas como ovejas que no tienen pastor" (Mateo 9:36).

La Biblia también registra que Jesús lloró abiertamente. "Y cuando llegó cerca de la ciudad, al verla, lloró sobre ella" (Lucas 19:41).

No hablo de un carácter incontrolable, tampoco me refiero a alguien que lloriquea y cambia bruscamente de estado de ánimo cada vez que un problema ocurre en la vida.

En cambio, te pido que observes que Jesús no embotelló sus emociones. No era un robot. Era entusiasta cuando veía una demostración de fe: lloraba cuando veía incredulidad.

Pedro, Su discípulo, fue influido por esto. Pablo estaba en fuego debido a esa influencia. Ellos cambiaron el curso de la historia.

Sé audaz al expresar tus opiniones. Siente enérgicamente las cosas que importan en la vida. Podría ser una influencia maravillosa para bien.

Siempre serás atraído hacia la gente expresiva. Miles gritan en los conciertos de *rock*, en los partidos de fútbol y en los campeonatos de boxeo.

No seas un espectador de la vida. Entra al campo de juego.

Jesús lo hizo.

Jesús no tenía miedo de mostrar Sus sentimientos...este es uno de los Secretos del Liderazgo de Jesús.

Oración

Señor, yo sé que la pasión y el entusiasmo para la vida son llaves para el éxito. Ayúdame a encontrar y dirigir la pasión y el entusiasmo santo en mi vida.

Enséñame a ser audaz en expresar mis opiniones y sentimientos. Entrename para que sea un jugador activo en la vida, no un espectador. En el nombre de Jesús, amén.

Preguntas

¿Cuándo fue la última vez que deseaste, después de un acontecimiento, haber expresado tus sentimientos de una manera diferente en una situación?

¿Cómo te expresarás la próxima vez que enfrentes una situación similar?

¿Qué puedes hacer para aprender a incorporar una inflexión expresiva de voz, gestos e idioma corporal en tu estilo de comunicación?

Nunca Cambiarás Tu Vida Hasta Que Cambies Tu Rutina Diaria.

-MIKE MURDOCK

40

Jesús Conocía El Poder Del Hábito

Los Grandes Hombres Simplemente Tienen Grandes Hábitos.

Un popular multimillonario dijo: "Yo llego a mi oficina a las 07:00am. Es un hábito". Recientemente un novelista *best-seller*, que ha vendido más de un millón de libros dijo: "Me levanto a la misma hora todas las mañanas. Comienzo a ecribir a las 08:00 am y paro de escribir a las 4:00 pm todas las tardes.. Lo hago todos los días. Es un hábito".

El hábito es un don de Dios. *Simplemente significa que cualquier cosa que tú hagas más de dos veces se vuelve más fácil.* Esta es la llave del Creador para ayudarte a tener éxito.

Jesús estaba ocupado. Viajaba. Oraba por los enfermos. Enseñaba y ministraba. Supervisaba a Sus discípulos. Hablaba a grandes multitudes.

Sin embargo, tenía una costumbre y un hábito importante. "Vino a Nazaret, donde se había criado; y en el día de reposo entró en la sinagoga, Conforme A Su Costumbre, y se levantó a leer" (Lucas 4:16).

Daniel oraba tres veces al día (Daniel 6:10). El salmista oraba siete veces al día (Salmo 119:164). Los discípulos de Jesús se reunían el primer día de cada semana (Hechos 20:7).

Jesús sabia que los grandes hombres simplemente tienen grandes hábitos.

Jesús conocía el poder del hábito...éste es uno de los Secretos del Liderazgo de Jesús.

Oración

Padre, enséñame a desarrollar buenos hábitos, hábitos que me guíen al éxito. Dame la perseverancia para seguir formando hábitos que Tú deseas para mí. En el nombre de Jesús, amén.

Preguntas

¿Qué hábitos positivos son importantes para la efectividad de tu tiempo?

¿Cuál es el hábito positivo que a ti te gustaría añadir, y el mal hábito que te gustaría borrar de tu rutina diaria?

¿Cómo planeas hacer esto durante las próximas tres semanas?

41

JESÚS TERMINABA LO QUE COMENZABA

Los Campeones Son Personas Que Terminan Lo Que Comienzan.

Es divertido ser creativo. Es emocionante dar siempre a luz nuevas ideas, pensar en nuevos lugares para ir, o lanzar un producto nuevo, pero lo verdaderos campeones completan las cosas. Son personas que *prosiguen hacia su objectivo.*

Jesús tenía treinta años cuando comenzó Su ministerio. Su ministerio fue de tres años y medio. Hizo muchos milagros. Tocó muchas vidas. Electrificó el mundo a través de doce hombres.

Pero, escondido en miles de escrituras hay un principio de oro que reveló el poder de Jesús. Sucedió en el horrible día de Su crucifixión. Fue burlado por miles de personas. Clavos traspasaron Sus manos.

Una lanza atravesó Su costado.

Espinas de veinte centímetros se hincaron en Su frente. La sangre se había secado en Sus cabellos. Algunos dicen que cuatrocientos soldados escupieron Su cuerpo.

En ese momento mencionó quizás la oración más grande en la tierra: "Consumado es" (Juan 19:30). Los pecados del hombre fueron perdonados. Jesús pagó el precio. El plan fue completo. Jesús fue el Cordero llevado al matadero.

Jesús fue la principal piedra angular (Efesios 2:20). El Príncipe de Paz ha venido (Isaías 9:6).

Nuestro sumo sacerdote, el Hijo de Dios, fue nuestro eslabón de oro hacia el Dios de los cielos.

Jesús fue una persona que terminaba todo lo que empezaba. Terminó lo que comenzó. El puente que unió al hombre con Dios estaba completo. El hombre pudo acercarse a Su creador sin temor.

Pablo finalizaba todo lo que empezaba (2 Timoteo 4:7).

Salomón, el hombre más sabio que haya existido, fue una persona que terminaba lo que empezaba (1 Reyes 6:14).

Un multimillonario famoso dijo: "Pagaré un gran salario a cualquiera que pueda completar una instrucción que yo le dé".

Comienza por completar *pequeñas cosas*. Escribe esa nota de agradecimiento a tu amigo. Haz esas dos llamadas telefónicas que has postergado por tanto tiempo.

Consigue el espíritu del campeón que termina lo que comienza. "Mas el que preservere hasta el fin, éste será salvo" (Mateo 10:22).

Jesús terminaba lo que comenzaba...este es uno de los Secretos del Liderazgo de Jesús.

Oración

Padre, dame el espíritu de una persona que termina lo que empieza. Dame la voluntad y el deseo para completar lo que he comenzado. Dame Tu fuerza para continuar. En el nombre de Jesús, amén.

Preguntas

¿Cuáles son las seis cualidades de esta clase de personas?

¿Cuántas de estas cualidades posees tú?

¿Qué harás en los próximos treinta días para ser una persona más firme en terminar lo que empiezas?

42

Jesús Conocía Bien Las Escrituras

Cuando Dios Habla, Los Sabios Escuchan.
 El libro más grande en la Tierra es la Biblia. Ha sobrepasado la venta de cualquier libro. Es la Palabra de Dios.

Lleva aproximadamente 56 horas leer la Biblia completamente. Si lees 40 capítulos por día, la leerás completa en 30 días. Si lees nueve capítulos al día en el Nuevo Testamento, terminarás de leerlo en 30 días. Tú deberías leer la Biblia sistemáticamente. Regularmente. Con expectativa.

Lée Lucas 4. Cuando satanás presentó sus tentaciones a Jesús, el Señor simplemente citó las Escrituras como respuesta. *La Palabra de Dios es poderosa.* "En mi corazón he guardado Tus dichos, para no pecar contra Ti" (Salmo 119:11).

El libro de Proverbios tiene 31 capítulos. ¿Por qué no sentarse hoy y comenzar un nuevo hábito magnífico y leer este libro de sabiduría completamente cada mes? Simplemente lée el capítulo uno en el primer día de cada mes, capítulo dos el segundo, y así sucesivamente.

La Palabra de Dios edificará tu fe. "Así que la fe es por el oír, y el oír, por la palabra de Dios" (Romanos 10:17). La fe viene cuando *oyes* a Dios hablar. La fe viene cuando tú *hablas* la Palabra de Dios.

La Palabra de Dios te mantiene puro. "¿Con qué

limpiará el joven su camino? Con guardar Tu palabra" (Salmo 119:9).

Jesús conoció la Palabra.

Jesús fue un conocedor de las Escrituras...este es uno de los Secretos del Liderazgo de Jesús.

Oración

Padre, sé que la Biblia es Tu Palabra, y me ha sido dada. Gracias, Padre, por poner en mis manos los medios a través de los cuales puedo incrementar mi fe y mantener mi pureza. Hoy me comprometo a leer la Palabra y a estudiarla como el libro más importante de mi vida. En el nombre de Jesús, amén.

Preguntas

¿Cómo ha impactado tu conocimiento de la Palabra de Dios tu efectividad como líder?

¿Qué harás los próximos treinta días para aumentar el conocimiento de la Palabra?

43

JESÚS NUNCA ANDUVO DE PRISA

La Impaciencia Es Costosa.
Esta es una generación impaciente. Comidas rápidas, hornos microondas y las autopistas con tránsito veloz reflejan esta filosofía.

Tus mayores errores sucederán a causa de la impaciencia.
La mayoría de los negocios que fracasan, lo hacen porque les falta preparación y tiempo. Los grandes negocios no se logran de la noche a la mañana. Aún a los Estados Unidos le costó años convertirse en una nación independiente.

Tómate tiempo para crecer en su negocio. Sé decidido en tus proyectos. Conviértete en una persona que logra proyectos a largo plazo.

La vida es un maratón, no una carrera de velocidad de cien metros.

Los campeones controlan su ritmo. Ven el cuadro completo.

Jesús no permitió que las emergencias de otros lo perturbaran. No hay escrituras registradas que lo muestren apurado o en un estado de emergencia.

Considera el momento cuando a Jesús le llegó la noticia de que uno de sus amigos más cercanos, Lázaro, estaba enfermo. María y Marta, las hermanas, querían que Jesús *Se Apurase* y orara por la sanidad del hombre antes de que muriera. Jesús no alteró Su agenda y prosiguió sin prisas ni apuros. Lázaro murió. Acá está la historia:

"Estaba entonces enfermo uno llamado Lázaro, de Betania, la aldea de María y de Marta su hermana. (María, cuyo hermano Lázaro estaba enfermo, fue la que ungió al Señor con perfume, y le enjugó los pies con sus cabellos.) Enviaron, pues, las hermanas para decir a Jesús: Señor, he aquí el que amas está enfermo. Oyéndolo Jesús, dijo: Esta enfermedad no es para muerte, sino para la gloria de Dios, para que el Hijo de Dios sea glorificado por ella. Y amaba Jesús a Marta, a su hermana y a Lázaro. Cuando oyó, pues, que estaba enfermo, se quedó dos días más en el lugar donde estaba".

"Y Marta dijo a Jesús: Señor, si hubieses estado aquí, mi hermano no habría muerto."

"Jesús dijo: Tu hermano resucitará."

"Y habiendo dicho esto, clamó a gran voz: ¡Lázaro, ven fuera!"

"Y el que había muerto salió, atadas las manos y los pies con vendas, y el rostro envuelto en un sudario. Jesús les dijo: Desatadle y dejadle ir" (Juan 11:1-6,21, 23,43,44).

Tener firmeza en las decisiones es poderoso y magnético, pero Jesús nunca tomó decisiones por las tácticas de presión de otras personas. Rechazó ser intimidado por declaraciones tales como: "Este es el último disponible este año. Si no lo compras ahora, quizás no tengas otra oportunidad".

Los negociantes talentosos enseñan que *la espera es un arma.* Quienquiera que sea el más apurado e impaciente generalmente termina con el peor fin del trato.

Tómate el tiempo para hacer las cosas correctamente. La debilidad y los errores de cualquier plan son a menudo ocultados por el apuro y el aturdimiento.

Jesús lo sabía.

Jesús nunca anduvo de prisa...este es uno de los Secretos del Liderazgo de Jesús.

Oración

Padre, dame paciencia. Enséñame a esperar hasta poder oír Tu voz y conocer el tiempo correcto. Gracias por darme la paciencia y el deseo de hacer las cosas correctamente. En el nombre de Jesús, amén.

Preguntas

Como líder, ¿cuándo has experimentado una situación en la que la espera fue un arma efectiva?

¿Qué tipo de errores serios has visto como resultado de la impaciencia?

¿Cómo te cuidas de la impaciencia?

Nunca Esperes Que Una
Idea De 10 x 20
La Celebre Una
Mente De 3 x 5.

-MIKE MURDOCK

44

Jesús Iba A Donde Era Celebrado En Vez De Ir A Donde Era Tolerado

Nunca Permanezcas Donde No Eres Valorado.
Nunca permanezcas donde no has sido asignado. Valora tu don. Vigila bien cualquier talento que Dios te haya dado. Conócelo. Dios ha preparado a personas para que te reciban cuando tu estás en el lugar de tu Asignación.

Jesús fue incapaz de hacer cualquier milagro en ciertas ciudades. La gente dudaba. La incredulidad era como un cáncer en la atmósfera. Le impidió liberar el fluir de sanidad.

Jesús enseñó a Sus discípulos a retirarse de cualquier lugar en el que no los valorizaran. "Y si alguno no os recibiere, ni oyere vuestras palabras, salid de quella casa o ciudad, y sacudid el polvo de vuestros pies" (Mateo 10:14; ver también Proverbios 25:17).

Es necio desperdiciar toda tu vida en aquellos que no lo celebran. *Muévete hacia delante.*

Jesús lo hizo.

Jesús iba a donde era celebrado en vez de ir a donde era tolerado...este es uno de los Secretos del Liderazgo de Jesús.

Oración

Señor, te pido que me des la Sabiduría y el discernimiento para permanecer donde soy valorado y dejar los lugares donde no lo soy. Enséñame a no desperdiciar mi vida en cosas necias. En el nombre de Jesús, amén.

Preguntas

¿Cuáles son las señales que observas cuando tu Asignación en un lugar está por terminar?

¿Cómo has respondido cuando se volvió obvio que tus dones y talentos no fueron valorados?

¿Cómo te puedes preparar para estar listo a moverte cuando tu Asignación se haya acabado?

45

Jesús Consultaba Constantemente A Su Padre Celestial

"Donde no hay dirección sabia, caerá el pueblo; mas en la multitud de consejeros hay seguridad" (Proverbios 11:14).

Aprende A Alcanzar.

Un famoso multimillonario de nuestro tiempo fue entrenado por su padre. En uno de sus libros recientes, dijo que llama a su padre una docena de veces por semana. También llama por teléfono a su propia oficina de diez a doce veces al día. Dijo: "Si no permanezco constantemente en contacto con mi negocio, se arruina". Permanece en contacto con tu supervisor, tu jefe, *con cualquiera que te esté supervisando, dirigiendo o guiando en algo que quieres lograr.* Permanece en contacto regularmente.

Jesús era brillante. Era un hacedor de milagros. Constantemente consultaba a Su Padre celestial. "De cierto, de cierto os digo: No puede el Hijo hacer nada por sí mismo, sino lo que ve hacer al Padre; porque todo lo que el Padre hace, también lo hace el Hijo igualmente" (Juan 5:19).

Jesús estaba abierto a Su Padre en relación a Sus sentimientos. En el jardín de Getsemaní, clamó: "Padre Mío, si es posible, pase de Mí esta copa; pero no sea como Yo quiero, sino como Tú" (Mateo 26:39).

Jesús fue constante en buscar a Su Padre. "Otra vez fue y oró por segunda vez, diciendo: Padre Mío, si no puedes pasar de Mí esta copa sin que Yo la beba, hágase Tu voluntad" (Mateo 26:42). Jesús se sintió solo. Vivió en nuestro mundo, experimentó los sentimientos que tú sientes. Es nuestro hermano mayor. *Y no fue orgulloso, sino que mantenía una estrecha relación con Su Padre.*

Conoce el poder de la conexión. Crea el contacto. *Debes saber que es el primer paso hacia el incremento. Alguien es un eslabón para tus éxitos futuros.* El mañana depende de tu habilidad para buscar a esa persona. Házlo.

Jesús alcanzó.

Jesús consultaba constantemente a Su Padre Celestial...este es uno de los Secretos del Liderazgo de Jesús.

Oración

Padre, dame la inteligencia y la humildad para consultar a los que me guían. Pon en mí el deseo de permanecer humilde y buscarte todos los días. Padre, por favor no permitas que me vuelva demasiado orgulloso para dejar de extenderme a buscar ayuda. En el nombre de Jesús, amén.

Preguntas

¿Qué proceso usas para permanecer en contacto directo con tu superior o con tu mentor ¿Con qué frecuencia lo utilizas?

¿Qué tanto conoces a tu superior? ¿Qué haces para nutrir esa relación?

¿Con qué frecuencia consultas a tu Padre celestial en busca de guía en relación a tu trabajo?

46

JESÚS SABÍA QUE LA ORACIÓN GENERA RESULTADOS

La Oración Funciona.

Satanás teme a tu enlace de oración con Dios. Por eso intentará sabotear la oración de cualquier manera posible. No lo dejes. *Ten una cita diaria con Dios.* Tú haces citas con tu dentista. Haces citas con tu abogado. Ten una cita específica con Dios.

Si lo haces, nunca serás el mismo.

Jesús oraba durante tiempos de crisis. Justo antes de su crucifixión, oró en tres ocasiones distintas a Su Padre (Mateo 26:44).

Jesús enseñó a Sus discípulos cómo orar. Hay seis palabras importantes para recordar cuando lees "El Padrenuestro" (Mateo 6:9-13).

1) Alabanza. "Padre, nuestro que estás en los cielos, santificado sea Tu nombre" (Mateo 6:9). Este es un momento oportuno para recordar que Dios se asignó a Sí Mismo numerosos nombres. Jehová-Jireh (Génesis 22:14), que significa "el Señor provee". Jehová-Rapha (Éxodo 15:26) significa "el Señor que sana".

2) Prioridades. "Venga Tu reino. Hágase Tu voluntad, como en el cielo, así también en la tierra" (Mateo 6:10). Ahí le pides al Señor que implemente Su plan para cada día. Pídele que Su voluntad sea hecha en el gobierno, en tu trabajo, en tu hogar y en tu vida personal.

3) **Provisión.** "El pan nuestro de cada día, dánoslo hoy" (Mateo 6:11). Cuando ores, empieza agradeciéndo lea Dios que Él está proveyendo todas las finanzas y otros recursos que necesitas para tu vida.

4) **Perdón.** "Y perdónanos nuestras deudas, así como nosotros perdonamos a nuestros deudores" (Mateo 6:12). Jesús instruye a Sus discípulos a liberar el perdón y de esta manera perdonar a los que habían pecado contra ellos. Lo que haces que suceda para otros, Dios hará que suceda para ti. Misericordia es otorgada libremente a aquellos que la dan libremente.

5) **Protección.** "Y no nos metas en tentación, mas líbranos del mal" (Mateo 6:13). Jesús enseñó a Sus discípulos a orar por protección durante todo el día.

6) **Adoración.** "Porque Tuyo es el reino, y el poder, y la gloria, por todos los siglos. Amén." Jesús les enseñó a terminar este tiempo de oración con alabanza a Su Padre celestial por quien Él es y por el poder que libera en las vidas.

Lleva una lista de oración. Establece un tiempo especial cada día. Y si es posible ten un sitio especial, reservado para orar.

No olvides la *oración de acuerdo.* "Otra vez os digo, que si dos de vosotros se pusieren de acuerdo en la tierra acerca de cualquiera cosa que pidieren, les será hecho por Mi Padre que está en los cielos" (Mateo 18:19).

Jesús *oró.*

Jesús sabía que la oración creaba resultados…este es uno de los Secretos del Liderazgo de Jesús.

Oración

Padre, ¡gracias por la oración! Sé que cuando estoy en Tu presencia, me revelarás Tus planes y deseos para mí. Constantemente recuérdame que la oración funciona y siempre funcionará. En el nombre de Jesús, amén.

Preguntas

¿Cuánto tiempo programas cada día para orar?

¿Qué haces para guardar ese tiempo celosamente?

¿Qué testimonios especiales tienes sobre cómo tu vida de oración te ha convertido en un mejor líder?

El Que Gobierna
Su Tiempo,
Gobierna Su Vida.

-MIKE MURDOCK

Copyright © 2001 by Mike Murdock • Wisdom International
The Wisdom Center • 4051 Denton Hwy. • Fort Worth, TX 76117

47

JESÚS SE LEVANTABA TEMPRANO

Los Campeones Se Apropian De Su Día.

Los hombres exitosos, famosos, generalmente se levantan al amanecer. Empiezan temprano el día. Te asombrarás de cuánto puedes lograr cuando otros apenas empiezan su día.

Jesús se levantaba temprano. "Levantándose muy de mañana, siendo aún muy oscuro, salió y se fue a un lugar desierto, y allí oraba" (Marcos 1:35). Jesús consultaba a Su Padre celestial antes de consultar a cualquier otro. Perseguía la influencia de Dios—temprano.

Josué se levantaba temprano. "Y Josué se levantó de mañana, y los sacerdotes tomaron el arca de Jehová" (Josué 6:12).

Moisés, el gran libertador de los israelitas, se levantaba cuando el alba despuntaba (Éxodo 8:20). Abraham, el gran patriarca de la nación judía, se levantaba temprano (Génesis 19:27).

Piensas más claramente por la mañana. Puedes *enfocarte* bien en las cosas. Tu día empieza con orden. Cuando acumulas las emociones y el estrés de otros a través del día, la calidad de tu trabajo se deteriora.

Tu estilo de vida puede ser una excepción a esta regla. Muchas personas trabajan toda la noche y usan el día para dormir. Pero la mayoría ha descubierto que las mejores horas de nuestro día temprano por la mañana, cuando están desprovistas de las demandas de otras personas.

Jesús lo sabía.

Jesús se levantaba temprano...este es uno de los Secretos del Liderazgo de Jesús.

Oración

Señor, enséñame a apropiarme del día. Dame el conocimiento para dominar mi tiempo, de modo que pueda gobernar mi vida. Tú me has dado dones y talentos que no puedo desperdiciar si duermo. Motívame e impúlsame. En el nombre de Jesús, amén.

Preguntas

¿Qué prefieres hacer en las primeras horas del día?

¿Qué porcentaje de tu trabajo más productivo es logrado antes de las 10:00?

¿Qué pasa con tu día cuando no logras comenzar temprano?

48

JESÚS NUNCA SINTIÓ QUE TUVIERA QUE RENDIR UNA PRUEBA ANTE OTROS

Tú Eres Ya Importante.

Tú no tienes que probar nada a nadie. Eres el fruto de un Creador extraordinario. Tienes la mente de Cristo. Sus dones y talentos han sido colocados dentro de ti. *Descubre cuáles son. Celébralos.* Encuentra formas de usar esos dones para mejorar a otras personas y ayudarlos a lograr sus metas y sueños.

Pero nunca, nunca, nunca desperdicies ni agotes tus energías para tratar de probar algo ante alguien.

El valor debe ser discernido.

Jesús sabía esto. Santanás lo tentó. "Y vino a Él el tentador, y le dijo: Si eres Hijo de Dios, di que estas piedras se conviertan en pan. Él respondió y dijo: Escrito está: No sólo de pan vivirá el hombre, sino de toda palabra que sale de la boca de Dios" (Mateo 4:3,4).

Jesús destapó los oídos sordos. Abrió los ojos de los ciegos. Hizo caminar a los cojos. Los muertos volvieron a vivir. Los pecadores fueron cambiados. Pero los desprecios de los que dudaban continuaron en los oídos de Jesús en medio de Su crucifixión: "Tú que derribas el templo, y en tres días lo reedificas, sálvate a Ti mismo; si eres Hijo de Dios, desciende de la cruz" (Mateo 27:40).

¿Cuál fue la reacción de Jesús? *Él estaba seguro de Su valor.* Conocía Su *propósito. No permitió que las burlas de los hombres ignorantes cambiaran Sus planes.*

Tú no eres responsable de ninguna otra cosa sino de un esfuerzo honesto por agradar a Dios.

Manténte enfocado.

Jesús lo hizo.

Jesús nunca sintió que tuviera que probarse ante nadie...este es uno de los Secretos del Liderazgo de Jesús.

Oración

Padre, gracias por no hacerme responsable de ninguna otra cosa sino de un esfuerzo por agradarte. Ayúdame a recordar que no encuentro valor en lo que otros piensan de mí, sino en lo que Tú piensas de mí. En el nombre de Jesús, amén.

Preguntas

¿Con qué frecuencia te siente amenazado por lo que otros piensan de ti como líder?

En un puntaje de uno a diez, ¿cómo evaluarías tu nivel de madurez? ¿Qué evaluación recibirías de tu staff? ¿Y de tus socios? ¿Y tus compañeros?

49

Jesús Evitó Confrontaciones Innecesarias

Aléjate De Conflictos Innecesarios.
Es agotador. Es improductivo. Pelear y discutir es una pérdida de tiempo. Millones de dólares se han perdido en negociaciones a causa de espíritus contenciosos. La guerra es costosa, y nadie realmente gana.

Jesús conocía el vacío de la ira. "Al oír estas cosas, todos en la sinagoga se llenaron de ira; y levantándose, le echaron fuera de la ciudad, y le llevaron hasta la cumbre del monte sobre el cual estaba edificada la ciudad de ellos, para despeñarle. Mas Él pasó por en midio de ellos, y se fue" (Lucas 4:28-30).

Jesús se fue por Su camino.
Jesús no se opuso. No se peleó con ellos. *Hizo otros planes.* Estaba en los negocios de Su Padre. *Se enfocó en Sus propias metas.* "Descendió Jesús a Capernaum, ciudad de Galilea; y les enseñaba en los días de reposo" (Lucas 4:31).

Jesús no cayó en depresión. No entró en un diálogo innecesario con ellos. No se achicó ni se acobardó yéndose a esconder en un rincón de la casa de Sus padres. *Prosiguió hacia Su misión y propósito.*

Nunca se comprometió con el mundo, ni temió a las discusiones. Su uso del látigo en el templo reflejó Su fuerza y guerra contra el mal. Sin embargo, no desperdició Su energía en conflictos triviales que no merecían Su atención.

"No paguéis a nadie mal por mal; procura lo bueno delante de todos los hombres. Si es posible, en cuanto dependa de vosotros, estad en paz con todos los hombres. No os venguéis vosotros mismos, amados míos, sino dejad lugar a la ira de Dios; porque escrito está: Mía es la venganza, Yo pagaré dice el Señor" (Romanos 12:17-19).

Aprende a mantener tu boca cerrada. "El que guarda su boca y su lengua, su alma guarda de angustias" (Proverbios 21:23).

Jesús era un pacificador.

Jesús evitó las confrontaciones innecesarias...este es uno de los Secretos del Liderazgo de Jesús.

Oración

Padre, ayúdame a mantener mi boca cerrada y a permanecer en una atmósfera de paz y productividad. No me dejes vagar por el camino de la pelea y la confusión. Mantenme enfocado en la tarea que tengo cerca. En el nombre de Jesús, amén.

Preguntas

¿Cómo podrías describir tu estilo actual de liderazgo cuando te encuentras enfrentado al odio y a la confrontación?

¿Son efectivos tus dones de liderazgo para evitar o disolver situaciones explosivas?

50

JESÚS DELEGÓ

Conoce Tus Limitaciones.

Es más productivo poner diez hombres a trabajar, a que uno solo haga el trabajo de diez. *Delegar es simplemente dar a otros instrucciones y motivación necesaria para completar una tarea en particular.* Esto requiere tiempo y paciencia. Pero es un beneficio a largo término.

Jesús delegó las multitudes. Instruyó a Sus discípulos para lograr que la gente se sentara. Luego les dio los panes y los pescados para que los repartieran (Mateo 14:19). Envió a Sus discípulos a conseguir un burro (Mateo 21:2). Instruyó a un ciego a completar Su sanidad (Juan 9:6,7). Envió a Sus discípulos a las ciudades para preparar comidas especiales (Marcos 14:12-15).

Los líderes de la iglesia primitiva entendían la importancia de delegar.

"En aquellos días, como creciere el número de los discípulos, hubo murmuración de los griegos contra los hebreos, de que las viudas de aquéllos eran desatendidas en la distribución diaria. Entonces los doce convocaron a la multitud de los discípulos, y dijeron: no es justo que nosostros dejemos la palabra de Dios, para servir las mesas. Buscad, pues, hermanos de entre vosotros a siete varones de buen testimonio, llenos del Espíritu Santo y de Sabiduría, a quienes encarguemos de este trabajo. Y nosotros persistiremos en la oración y el ministerio de la palabra" (Hechos 6:1-4).

5 Cosas Importantes Que Necesitas Recordar Cuando Trabajas En Equipo Con Otras Personas:

1. **Haz Una Lista De Las Responsabilidades Específicas De Cada Quien.**
2. **Instrúyelos Cuidadosamente Con Base En Todas Las Expectativas Que Tienes De Ellos.**
3. **Dáles La Información Y Autoridad Necesaria Para Completar Esas Tareas.**
4. **Establece Una Fecha Límite Específica En La Que Deban Terminar Esas Tareas.**
5. **Muéstrales Claramente Cómo Serán Recompensados Por Su Esfuerzo.**

Tómate el tiempo para motivar y educar a las personas con las que trabajas, para que sepan exactamente lo que esperas de ellos. *Tómate el tiempo para delegar.*

Jesús lo hizo.

Jesús delegaba...este es uno de los Secretos del Liderazgo de Jesús.

Oración

Señor, coloca en mí la sabiduría y la responsabilidad para delegar. Enséñame a confiar en otros y a conocer el significado de las expectativas reales. Gracias porque Tú me has dado un ejemplo exitoso en este tema de delegar por medio de Tu Hijo. En el nombre de Jesús, amén.

Preguntas

En una escala de uno a diez, ¿Qué tan efectivamente delegas responsabilidades a otros? ¿Y autoridad a otros?

¿Qué miedos te impiden delegar más efectivamente?

En el próximo mes, ¿qué pasos tomarás para vencer estos miedos y delegar con mayor eficacia?

Cuando Sueltas Lo Que
Hay En Tu Mano
Dios Soltará Lo Que Hay
En La Suya.

—MIKE MURDOCK

Copyright © 2001 by Mike Murdock • Wisdom International
The Wisdom Center • 4051 Denton Hwy. • Fort Worth, TX 76117

51

Jesús Llevó Su Agenda Personal Cuidadosamente

Tu Agenda Diaria Es Tu Vida.
Nadie puede guardar el tiempo. No lo puedes recolectar. No lo puedes depositar en una cuenta bancaria especial. Sólo se te permite que lo gastes: sabia o neciamente. *Debes hacer algo con el tiempo.*
Lo invertirás, o lo desperdiciarás.
Muchas personas tienen una agenda escondida. Habrá personas que están a tu alrededor que tratarán de "desviarte de tu camino". Habrá otros que no ven el "cuadro completo". Tratarán de meterte en las crisis del momento y sacarte de tu enfoque. Tú debes ser cuidadoso en *proteger tu lista de prioridades*.
Jesús lo hizo.
Como mencioné anteriormente, hay una historia fascinante en la Biblia sobre esto. Lázaro, un amigo íntimo de Jesús, se enfermó. María y Marta, sus dos hermanas, le enviaron a decir a Jesús que fuese donde ellas estaban. Sin embargo: "Cuando oyó, pues, que estaba enfermo, se quedó dos días más en el lugar donde estaba" (Juan 11:6). María estaba enojada: "Señor, si hubieses estado aquí, mi hermano no habíia muerto".
Otra vez, Jesús deliberadamente retrasó Su llegada. Mantuvo Su propia agenda. Con firmeza respetó Sus tiempos. No permitió que las emergencias

de otros lo desviaran de Su camino. *Guardó Su lista de prioridades.*

Haz que el día de hoy cuente. Ten presente los "veinticuatro vagones de oro (las horas) en el viaje al éxito". *Si no controlas lo que entra en cada uno de los veinticuatro vagones, alguien lo hará por ti.*

Evita las distracciones. Escribe tu lista diaria de las cosas que tienes que hacer. Protege tu programa diario. *Esa es tu vida.* Házla realidad.

Jesús lo hizo.

Jesús guardó cuidadosamente Su agenda personal...este es uno de los Secretos del Liderazgo de Jesús.

Oración

Padre, dame la discreción y la fuerza para proteger mi agenda. Enséñame a organizar mi tiempo y a darle el lugar correcto a mis prioridades. En el nombre de Jesús, amén.

Preguntas

¿Qué técnicas has encontrado más efectivas para proteger tus prioridades diarias?

¿Qué harás en los próximos treinta días para aprender tres técnicas nuevas de administración del tiempo?

52

JESÚS HACÍA PREGUNTAS PARA DETERMINAR CORRECTAMENTE LAS NECESIDADES Y DESEOS DE OTRAS PERSONAS

Haz Preguntas.

Interroga a tu mundo. Insiste en escuchar las opiniones y necesidades de las personas.

Casi nadie en la Tierra escucha a otras personas ni les hace preguntas.

Este es un secreto del liderazgo de éxito.

Jesús hacía preguntas.

Una vez Simón Pedro se fue a pescar. No pescó nada. Cuando llegó la mañana, Jesús estaba parado en la orilla y gritó: "Hijitos, ¿tenéis algo de comer?" (Juan 21:15). *Jesús no supuso nada. Persiguió la información.*

Su respuesta fue el punto de entrada a la vida de ellos. Tenía algo que ellos necesitaban. *Tenía información.*

Su pregunta fue un eslabón para el futuro de los discípulos. *Fue el puente para Su relación.* Luego los instruyó: "Echad la red a la derecha de la barca, y hallaréis..." (Juan 21:6).

Documenta las necesidades de las personas con las cuales te relacionas. Toma nota de ellas en un cuaderno y piensa cómo puedes satisfacer esos deseos. ¿Cuáles son las necesidades de tus clientes hoy? ¿Relamente *los escuchas?* ¿Sientes *verdaderamente* que los escuchas? La mayoría de los empleados sienten que sus jefes en realidad no oyen sus quejas. La mayoría de los empleadores sienten que sus empleados no los interpretan correctamente.

Jesús persiguió la información.

Jesús hacía preguntas para determinar con precisión las necesidades y los deseos de los demás...este es uno de los Secretos del Liderazgo de Jesús.

Oración

Padre, abre mis ojos y oídos para ver y oír la información correctamente. Recuérdame constantemente la importancia de la información y cómo ésta puede determinar mi éxito. En el nombre de Jesús, amén.

Preguntas

¿Con qué frecuencia le preguntas a tu *staff* lo que ellos necesitan o desean?

¿Cuán efectivo eres en preguntar a tus clientes internos y externos las preguntas correctas para determinar sus necesidades reales, no sólo lo que ellos *piensan* que quieren?

¿Qué harás durante los próximos noventa días para mejorar tu habilidad para hacer preguntas?

53

JESÚS SIEMPRE RESPONDIÓ CON LA VERDAD

Sé Verdadero.

Alguien dijo: "Di la verdad la primera vez, y nunca tendrás que tratar de recordar lo que dijiste". La verdad siempre sobrevive a las tormentas de las difamaciones y las falsas acusaciones.

Nunca presentes engañosamente tu producto ante un cliente.

Forja y edifica cuidadosamente delante de tu familia el cuadro de la verdad total.

Nada es más importante en la vida que la credibilidad. Cuando tu la pierdes, has perdido la esencia del favor, del amor y del éxito.

Jesús fue Verdad.

"Yo soy el camino, y la verdad, y la vida; nadie viene al Padre, sino por Mí" (Juan 14:6). La integridad de Jesús intimidó a los hipócritas. Ellos reaccionaron ante Su pureza. La honestidad es una fuerza. Destruirá las montañas del prejuicio y el miedo en un simple soplido. "Dios no es hombre, para que mienta, ni hijo de hombre para se arrepienta. Él dijo, ¿y no hará? Habló, ¿y no lo ejecutará?" (Números 23:19).

Oración

Padre, enséñame a guardar mi boca y a dejar que

solo salga la verdad. Debido a que la verdad no puede ser cambiada, la verdad que yo hablo puede cambiar el mundo. En el nombre de Jesús, amén.

Preguntas

¿Qué situaciones has enfrentado en tu carrera en las cuales la verdad pudo haber sido dolorosa, pero tu integridad estuvo en riesgo si no decías la verdad?

¿Qué consejo santo sobre decir la verdad le darías a un recién graduado, a punto de comenzar en el mundo de los negocios hoy?

54

Jesús Permaneció En El Centro De Su Área De Experiencia

Lo Que Hagas, Házlo Mejor Que Siempre.
¿Qué *amas* hacer? ¿De qué te *apasiona* hablar? ¿Qué tema te gustaría *oír* más que cualquier otro? ¿Qué harías con tu vida *si el dinero no fuera un factor*? ¿Qué es lo que haces *mejor* que cualquier otra cosa?

Tu gozo está determinado por hacer lo que amas.

Jesús se asoció con los pescadores. Hablaba con los recolectores de impuestos. Los doctores, abogados y líderes religiosos estaban regularmente cerca de Él. *Pero nunca dudó de Su enfoque.* "Cómo Dios ungió con el Espíritu Santo y con poder a Jesús de Nazaret, y cómo este anduvo haciendo bienes y sanando a todos los oprimidos por el diablo, porque Dios estaba con Él" (Hechos 10:38).

Jesús conocía Su misión.

Jesús permaneció enfocado. Realmente creo que *el un enfoque roto es la verdadera razón por la que los hombres fracasan.*

Algunas personas toman trabajos porque son convenientes o cercanos a sus hogares. Un hombre me dijo que había pasado toda su vida trabajando en un empleo que lo entristecía.

"Entonces, ¿por qué has trabajado allí durante

veintisiete años?" le pregunté.

"Queda a solo diez minutos de mi casa", me contestó. "Y dentro de tres años recibiré un reloj de oro. No quiero dejar de trabajar demasiado joven y perder mi reloj de oro."

Lo que amas es una pista para conocer tu llamado y tu talento.

Jesús lo sabía.

Jesús permaneció en el centro de Su área de especialidad...este es uno de los Secretos del Liderazgo de Jesús.

Oración

Padre, Tú has puesto dentro de mí un propósito y un diseño específico. Enséñame a permanecer enfocado y a desempeñar con excelencia los talentos que Tú me has dado. En el nombre de Jesús, amén.

Preguntas

¿Qué descubriste acerca de tu propia área de especialidad cuando respondiste las preguntas del primer párrafo?

¿Cómo puedes mantenerte siempre enfocado?

55

Jesús Aceptó La Responsabilidad Por Los Errores De Los Que Tenía Bajo Su Autoridad

La Gente Comete Errores.
Este no es un mundo perfecto. Tu negocio no es un negocio perfecto. Tus amistades no son infalibles. Los que trabajan contigo cometerán errores.

Recuerda: *tú eres mentor de los que reciben tus instrucciones.* Ellos están en proceso de crecimiento. Están aprendiendo. Tambalearán y cometerán errores. Algunos serán costosos.

Leí una historia interesante hace algunos años. La secretaria ejecutiva del presidente de una gran corporación cometió un error, que le costó a la compañía $ 50,000 dólares. Ella estaba destruida y trajo su carta de renuncia al presidente y le explicó: "Me doy cuenta de la tontería que hice. Lo lamento. Sé que le costó $ 50.000 dólares a la compañía. Acá está mi carta de renuncia".

"¿Está loca?" exclamó el jefe. "La he enseñado y educado todas las semanas. Ahora ha cometido un gran error. Recién acabo de invertir $ 50,000 dólares en su educación, ¿y quiere renunciar? Ahora, señora, no se va a ir. Usted me ha costado demasiado dinero para perder mi inversión en su vida." Ella permaneció y se convirtió en una ejecutiva extraordinaria.

Pedro negó al Señor, pero Jesús dijo amorosamente: "Simón, Simón, he aquí Satanás os ha pedido para zarandearos como a trigo; pero Yo he rogado por ti, que tu fe no falte; y tú, una vez vuelto, confirma a tus hermanos" (Lucas 22:31,32).

Los grandes líderes aceptan la responsabilidad por sus subordinados. Si quieres tener éxito extraordinario en tu negocio, sé lo suficientemente fuerte y valiente para asumir la responsabilidad de los errores que comenten los que están aprendiendo y acatando tus órdenes. No te quejes. No andes como víctima. Sé fuerte.

Jesús fue nuestro ejemplo supremo.

Oración

Padre, enséñame a perdonar y recuérdame siempre que ningún hombre o mujer es perfecto. Dame la valentía y la prudencia para aceptar la responsabilidad por los que tengo a cargo. Enséñame a seguir en las huellas de Jesús. En el nombre de Jesús, amén.

Jesús aceptó la responsabilidad por los errores de los que tenía bajo Su autoridad...este es uno de los Secretos del Liderazgo de Jesús.

Preguntas

Cuando un miembro de tu *staff* comete un error serio, ¿cómo lo manejas? ¿Le has pedido alguna vez a uno de ellos que te perdone por la manera en que reaccionaste frente a su error?

Cuando uno de tus superiores te cuestiona un error, ¿defiendes a quien lo cometió, o lo culpas?

¿Oras por tu *staff* regularmente? ¿De qué forma ésto ha obrado una diferencia en tu relación con ellos?

56

Jesús Buscaba La Mentoría De Hombres Más Experimentados Que Él

Los Mentores Son Maestros En Tu Vida.
Tus mentores no son personas perfectas. Simplemente tienen experiencia en la vida y son capaces de transferirte ese conocimiento. Tu maestro puede ser más joven o mayor que tú. Tu maestro es *cualquiera capaz de hacer crecer e incrementar tu vida.*

Muéstrame a tus mentores y te diré cuál será tu futuro. "Oirá el sabio, y aumentará el saber, y el entendido adquirirá consejo" (Proverbios 1:5).

Jesús buscaba conocimiento. Cuando tenía doce años, siguió a los maestros de Su tiempo. "Y aconteció que tres días después le hallaron en el templo, sentado en medio de los doctores de la ley, oyéndoles y preguntándoles" (Lucas 2:46).

Rut escuchó el consejo de Noemí. Ester escuchó a Mardoqueo. David se sentó a los pies de Samuel. Josué recibió las instrucciones de Moisés. Timoteo fue discípulo de Pablo. Eliseo corrió para permanecer en presencia de Elías.

"Cuando le vieron, se sorprendieron; y le dijo Su madre: Hijo, ¿por qué has hecho así? He aquí, tu padre y yo te hemos buscado con angustia. Entonces Él les dijo: ¿Por qué me buscabais? ¿No sabiais que en los negocios de Mi Padre me es necesario estar?" (Lucas 2:48,49).

Salomón dijo: "Donde no hay dirección sabia, caerá el pueblo; mas en la multitud de consejeros hay seguridad" (Proverbios 11:14). "El que anda con sabios, sabio será; mas el que se junta con necios será quebrantado" (Proverbios 13:20).

Escucha a tus mentores. Siéntate en presencia de ellos. Consigue sus casetes. Absorbe sus libros. *Una frase puede ser la puerta de oro para la próxima etapa de tu vida.*

Jesús era enseñable.

Jesús buscó la mentoría de hombres más experimentados que Él...este es uno de los Secretos del Liderazgo de Jesús.

Oración

Padre, dame la humildad y la disposición para escuchar al experimentado y al sabio. Gracias por darme el discernimiento para saber cuándo debo abrir mis oídos y cuándo debo cerrarlos. Tú me has dado la oportunidad para aprender y alcanzar el éxito. En el nombre de Jesús, amén.

Preguntas

¿Cuáles son las tres personas que han tenido el mayor impacto en tu carrera?

Menciona una pepita de oro de Sabiduría que hayas aprendido de cada una.

¿Con qué frecuencia te comunica con tu mentor actual?

57

JESÚS NO LE PERMITÍA A QUIENES GUIABA QUE MOSTRARAN FALTAS DE RESPETO

Nunca Toleres La Contienda.
La contienda no se alejará voluntariamente. Debes confrontarla. *Nunca corregirás lo que no estás dispuesto a confrontar.* Siempre llama a la rebelión por su nombre. Señala la rebelión. Cuando haya un rebelde en tu compañía, disciplínalo. *Señala a los que crean contienda.* "Mas os ruego, hermanos, que os fijéis en los que causan divisiones y tropiezos en contra de la doctrina que vosotros habéis aprendido, y que os apartéis de ellos" (Romanos 16:17).

Jesús amaba a la gente. Apreciaba pasar horas con Sus discípulos. Era un buen oyente. Tenía gracia y humildad. Pero era bastante consciente de algo que cada persona exitosa debe recordar: *la familiaridad puede a menudo dar lugar a la falta de respeto.*

Un día Pedro comenzó a sentirse demasiado cómodo con Jesús. Lo suficientemente cómodo como para corregirlo. "Entonces Pedro, tomándolo aparte, comenzó a reconvenirle, diciendo: Señor, ten compasión de Ti; en ninguna manera esto te acontezca" (Mateo 16:22).

De repente, el amable y gentil Jesús reveló Su naturaleza de acero. Era inamovible. Era inconmovible.

Con una sola oración, Jesús despojó a Pedro de su arrogancia. Este había *abusado* de la relación, Jesús *nunca* le había dado autoridad para corregirlo. "Pero él, volviéndose, dijo a Pedro: ¡Quítate de delante de Mí, Satanás!; me eres tropiezo, porque no pones la mira en las cosas de Dios, sino en las de los hombres" (Mateo 16:23).

Jesús no toleraba la falta de respeto.

¿Ves? La rebelión es contagiosa. Un rebelde puede destruir a miles de personas. *Confronta a los que te causan contienda.* No esperes que desaparezcan solos. Nunca lo hacen.

El éxito de tu negocio depende de un clima feliz y pacífico. Debes estar constantemente consciente de las señales de descontento. Trata con el quejoso antes que se propague como un virus por toda tu organización.

El gerente de personal de uno del los presidentes de los Estados Unidos dijo: "Yo dirijo según la filosofía de la bellota. Me encargo de los problemas cuando son del tamaño de una bellota. Rechazo verlos convertirse en grandes robles".

"La gente raramente respeta y sigue a alguien a quien puede intimidar, dominar o manipular."

Jesús lo sabía.

Jesús no permitió a los que guiaba que mostraran faltas de respeto...este es uno de los Secretos del Liderazgo de Jesús.

Oración

Señor, dame el discernimiento y la valentía para evitar que los que están bajo mi autoridad sean irrespetuosos. Enséñame a responderles de tal manera que corrija las actitudes equivocadas de las personas bajo mi cargo y así los guíe hacia estándares más altos. En el nombre de Jesús, amén.

Preguntas

¿Cuándo fue la última vez que tuviste que aconsejar a un miembro del *staff* para que mostrara el debido respeto?

¿Manejaste el a sunto en público o en privado?

¿Cómo te respondió esa persona?

¿Cómo usaste la situación para lograr algo positivo?

La Semilla Que Siembras Crea El Futuro Que Dios Te Ha Prometido.

-MIKE MURDOCK

Copyright © 2001 by Mike Murdock • Wisdom International
The Wisdom Center • 4051 Denton Hwy. • Fort Worth, TX 76117

58

Jesús Respetó La Ley De La Siembra Y La Cosecha

Todo Comienza Con Una Semilla Para Sembrar.
Alguien planta una pequeña bellota. Esta se convierte en un roble poderoso. Una pequeña semilla de maíz se planta. Produce dos tallos de maíz. Cada tallo produce dos mazorcas. Cada mazorca contiene más de setecientas semillas. De esa pequeña semilla de maíz, salieron más de 2.800. Eso es multiplicación.

Mira la semilla *como algo que puede multiplicarse y convertirse en más.* El amor es una semilla. El dinero también lo es. Todo lo que posees puede ser plantado de nuevo en el mundo como una *semilla.*

Tu semilla es cualquier cosa que das, y que beneficia a otra persona, una sonrisa...tiempo...una palabra de aliento...dinero...

Tu cosecha es cualquier cosa que Dios te devuelve que te beneficia, gozo...paz mental...un amigo... finanzas...

Sembrar una semilla en fe simplemente quiere decir dar *algo, y tener fe en que Dios honrará Su Palabra y te dará una cosecha* de lo que tú le has dado a Él.

Sembrar una semilla en fe es usar lo que te ha sido dado para obtener lo que Dios te ha prometido. Si tu siembras la semilla de la diligencia en tu trabajo, cosecharás promoción. "El alma del perezoso desea, y nada alcanza; mas el alma de los diligentes será prosperada" (Proverbios 13:4). "La mano negligente empobrece; mas la mano de los diligentes enriquece" (Proverbios 10:4).

Cuando tú siembras amor en tu familia, cosecharás amor. Cuando siembras finanzas en la obra de Dios, cosecharás las bendiciones y la provisión de Dios en tu economía.

Jesús enseño que dar es el comienzo de las bendiciones. "Dad, y se os dará; medida buena, apretada, remecida y rebosando darán en vuestro regazo; porque con la misma medida con que medís, os volverán a medir" (Lucas 6:38).

Esta misma escritura ilustra otro principio increíble: *Lo que tú eres es loque crearás a tu alrededor.* Soy irlandés. ¿Qué crearé? Irlandeses. ¿Qué creará un músico? Músicos. ¿Qué creará una sandía? Sandías. Cuando das, la gente a tu alrededor comenzará a querer darte.

Es simple, explosivo e innegable.

Jesús enseñó el principio del ciento por uno: "¿De cierto os digo que no hay ninguno que haya dejado casa, o hermanos, o hermanas, o padre, o madre, o mujer, o hijos, o tierras, por causa de mí y del evangelio, que no reciba cien veces más ahora en este tiempo; casas; hermanos, hermanas, madres, hijos, y tierras, con persecuciones; y en el siglo venidero la vida eterna" (Marcos 10:29,30).

Todo lo que tú tienes, vino de Dios. Todo lo que recibirás en tu futuro vendrá de Dios. Él es tu fuente total para cualquier cosa en tu vida. Nunca lo olvides.

Él quiere que tu tengas Sus bendiciones. "Porque sol y escudo es Jehová Dios; gracia y gloria dará Jehová.

No quitará el bien a los que andan en integridad" (Salmo 84:11). "Amado, Yo deseo que tú seas prosperado en todas las cosas, y que tengas salud, así como prospera tu alma" (3 Juan 2).

El secreto de tu futuro está determinado por las Semillas que siembras hoy.

Cuando abres tu corazón. Dios abrirá Sus ventanas. Nunca olvides que el diez por ciento de tu ingreso es Semilla santa. Se le denomina "diezmo". "Traed todos los diezmos al alfolí y haya alimento en mi casa; y probadme ahora en esto, dice Jehová de los ejércitos, si no os abriré las ventanas de los cielos, y derramaré sobre vosotros bendición hasta que sobreabunde" (Malaquías 3:10,11).

Lo que estás dando podría ser el camino para salir de problemas. Tu semilla puede crear lo que Dios te ha prometido. Recuerda: Dios tiene un Hijo, Jesús. Él "sembró" a Su Hijo para *producir* una familia. *Millones se convierten en familia de Dios a causa de tu mejor semilla.*

Jesús lo sabía.

Jesús respetó la Ley de la Siembra y la cosecha...este es uno de los Secretos del Liderazgo de Jesús.

Oración

Padre, gracias por mostrarme que si planto la buena semilla, alcanzaré una gran cosecha. Espero el milagro de la cosecha que Tú prometiste. Señor, mantén este principio de siembra y cosecha siempre delante de mí y enséñame a honrarte siempre. En el nombre de Jesús, amén.

Preguntas

¿Qué semillas te ha dado Dios para que siembre en las vidas de tu empleados y socios?

¿Puedes describir un ejemplo de cuando plantaste palabras de aliento en un miembro difícil y dieron como resultado un trabajador más productivo? ¿Por qué no probarlo hoy?

Parte II

Cómo Disfrutar La Vida Vencedora

———≫•⊙•≪———

El éxito trae felicidad, y la felicidad es básicamente sentirse bien con uno mismo, tu vida y tus planes. O, como un amigo mio dice: "¡El éxito es *gozo*¡"

Dos fuerzas son vitales para la felicidad: tus *relaciones* y tus *logros*.

El Evangelio también tiene dos fuerzas: la *Persona* de Jesucristo y los *principios* que Él enseñó. ¿Ves? Una fuerza es el *Hijo* de Dios, la otra el *sistema* de Dios.

Una es la *vida* de Dios, *otra* la ley de Dios. Una es el *Rey*, otra es el *reino*. Una es una *experiencia con Dios*, otra es la *experiencia de Dios*. Una está *relacionada* con el corazón, otra con la *mente*.

La salvación se experimenta *instantáneamente*, pero las llaves de sabiduría se aprenden *progresivamente*.

Ambas fuerzas son absolutamente esenciales para el éxito y la felicidad total.

Tú puedes ser un *miembro de la iglesia* y un religioso en tu experiencia, pero vivirá en continuos períodos de *frustración si no tiene el conocimiento de las leyes del éxito establecidas en las Escrituras.* La *experiencia* con Dios nos capacita para enfrentar las situaciones que surgen en nuestra vida diaria.

Quizá seas alguien que *no es miembro* de la iglesia, o un incrédulo. Puedes experimentar tremendo éxito y logros en lo social, en lo financiero, en lo familiar, a través de la simple aplicación de las leyes de la vida establecidas en la Biblia. Pero sin una *experiencia* con Jesucristo, el Hijo de Dios, siempre sentirás un gran vacío y soledad, una sensación de que "algo le falta a tu vida".

La promoción en el trabajo, las grandes finanzas y la aceptación social elevarán y acentuará el vacío, en vez de llenarlo. *Dios no ha creado un mundo en cual Él no fuera necesario.*

El éxito es el *logro progresivo de las metas planeadas por Dios.* Es el logro de la voluntad y los planes *del Padre.* Es importante que tengamos un *sueño* o propósito en nuestras vidas. José tuvo un sueño. Jesús tenía un propósito.

Nuestras metas deberían ser ordenadas por el Señor. David quería edificar el templo, pero su deseo no era una meta planeada por Dios. Salomón fue el constructor que Dios había elegido. Algunas veces nuestros deseos personales son contradictorios a los planes de Dios.

¿Cómo sabemos la diferencia? *Debemos consultar* con el Padre. A través del estudio de la *Biblia* y el tiempo de oración, descubrimos los planes de Dios. Generalmente son revelados paso a paso.

Si tu deseo por algo *persiste*, probablemente sea una indicación de que Dios quiere que te involucres en eso. Por ejemplo, Dios eligió a Salomón para edificar, pero David *preparó* los materiales.

Obviamente, debemos *saber* lo que Dios quiere que hagamos antes de poder hacerlo. *Busca* señales. *Escucha* al Espíritu. Evalúa. Cultiva la *respuesta instantánea* a la voz de Dios. *Elimina lo que te haga perder el tiempo* en tu vida. Concéntrate en conectarte con Dios.

Rechaza todo comentario que produzca duda y derrota. Jesús no dio la misma calidad de tiempo a los fariseos que a la mujer samaritana. Él discernía *el propósito de cada conversación,* si venía de un corazón hambriento o de una actitud crítica.

EL VENCEDOR conoce el poder de las palabras. Rechaza soltar palabras de derrota, depresión y desaliento. Tus palabras son vida. Expresa esperanza y confianza en Dios. Emociónate en planear tus triunfos. No tienes tiempo para quejarte sobre las pérdidas del pasado.

EL VENCEDOR espera la oposición. Reconoce que la adversidad tiene ventajas. Esto revela la profundidad de las amistades. Te forzará a cavar más para obtener mejor información correcta. Te ayudará a decidir en qué crees realmente.

EL VENCEDOR espera la sabiduría especial. "Y si alguno de vosotros tiene falta de sabiduría, pídala a Dios, el cual da a todos abundantemente y sin reproche, y le será dada" (Santiago 1:5). La *sabiduría es la habilidad para interpretar una situación a través de los ojos de Dios.* El entendimiento y la sabiduría son las llaves de oro para dominar cada circunstancia en la vida. Estas vienen a través del ESTUDIO DE LA PALABRA. "La exposición de tus palabras alumbra; hace entender a los simples" (Salmo 119:130).

Los VENCEDORES son diferentes a la "multitud". Nunca justifiques el fracaso. Rechaza quedarte atascado por culpar a otras personas. *¡Esfuérzate por alcanzar el éxito!*

¡Cuando te decidas, es sólo cosa es sólo un asunto de tiempo!

DECISIÓN

¿Aceptarás A Jesús Como Salvador De Tu Vida Hoy?

La Biblia dice: "Que si confesares con tu boca que Jesús es el Señor, y creyeres en tu corazón que Dios le levantó de los muertos, serás salvo" (Romanos 10:9).

Para recibir a Jesucristo como Señor y Salvador de tu vida, ¡por favor haz esta oración con tu corazón ahora mismo!

"Querido Jesús, yo creo que Tu moriste por mí y que resucitaste al tercer día. Confieso que soy un pecador. Yo necesito Tu amor y Tu perdón. Entra a mi corazón. Perdona mis pecados. Yo recibo Tu vida eterna. Confirma Tu amor dándome paz, gozo y amor sobrenatural por los demás. Amén".

❑ Si, Mike! Hoy tomé la decisión de aceptar a Cristo como mi Salvador personal. Por favor envíame gratis tu libro de obsequio: "31 Llaves Para Un Nuevo Inicio" para ayudarme con mi nueva vida en Cristo.

NOMBRE   CUMPLEAÑOS

DIRECCIÓN

CUIDAD   ESTADO   CÓDIGO POSTAL

TELÉFONO   E-MAIL

Enviar a:
The Wisdom Center ·
4051 Denton Hwy. · Ft. Worth, TX 76117
Tel: 817-759-0300 · Sitio Web: **WWW.TheWisdomCenter.tv**

DR. MIKE MURDOCK

1. Ha abrazado la Asignación de perseguir...poseer...y publicar la Sabiduría de Dios para ayudar a la gente a alcanzar sus sueños y metas.

2. Se inició en evangelismo de tiempo completo a la edad de 19 años y lo ha hecho continuamente desde 1966.

3. Ha viajado y hablado a más de 14,000 audiencias en 38 países, incluyendo el Este y Oeste de África, el Oriente y Europa.

4. Connotado autor de más de 160 libros, incluyendo los best sellers: "La Ley Del Reconocimiento", "Sabiduría Para Triunfar", "Semillas De Sueños" y "El Principio Del Doble Diamante".

5. Es el creador de la popular "Biblia Temática" en las series para Hombres de Negocios, Madres, Padres, Adolescentes, además de "La Biblia de Bolsillo de Un Minuto" y de las series "La Vida Fuera de Lo Común".

6. Ha compuesto más de 5,700 canciones, entre ellas: "I Am Blessed" "You Can Make It" "Holy Spirit This Is Your House" y "Jesus, Just The Mention Of Your Name" mismas que han sido grabadas por diversos artistas de música cristiana 'gospel'.

7. Es el fundador de: The Wisdom Center, (El Centro de Sabiduría) en Fort Worth, Tx.

8. Tiene un programa semanal de televisión titulado "Llaves de Sabiduría con Mike Murdock".

9. Se ha presentado frecuentemente en programas de las televisoras cristianas TBN, CBN, BET y DAYSTAR.

10. Es un Fideicomisario Fundador del Comité de Ministerios Carismáticos de La Biblia con Oral Roberts.

11. Ha tenido más de 3,500 personas que han aceptado el llamado al ministerio de tiempo completo, bajo su ministerio.

EL MINISTERIO

1. **Libros de Sabiduría & Literatura** - Más de 160 Libros de Sabiduría, éxitos de librería, y 70 series de enseñanza en audio casete.

2. **Campañas en las Iglesias** - Multitud de personas son ministradas en las campañas y seminarios en los Estados Unidos, en la "Conferencia de Sabiduría Fuera De Lo Común". Conocido como un hombre que ama a los pastores, se ha enfocado a participar en campañas en iglesias durante 39 años.

3. **Ministerio de Música** – Millones de personas han sido bendecidas con la unción en las composiciones y el canto de Mike Murdock, quien ha producido más de 15 álbumes musicales. Disponibles también en CD.

4. **Televisión** – "Llaves de Sabiduría Con Mike Murdock", es el programa semanal de televisión que se transmite a nivel nacional, presentando a Mike Murdock en sus facetas de maestro y adorador.

5. **The Wisdom Center** (El Centro De Sabiduría) - Las oficinas del ministerio, son el lugar donde el Dr. Murdock presenta una vez al año la Escuela de Sabiduría, para quienes desean experimentar "La Vida Fuera de lo Común".

6. **Escuelas del Espíritu Santo** – Mike Murdock es el anfitrión de Escuelas del Espíritu Santo en cuantiosas iglesias, para dar mentoría a los creyentes acerca de la Persona y Compañerismo del Espíritu Santo.

7. **Escuelas De Sabiduría** – En las 24 ciudades principales de los Estados Unidos, Mike Murdock presenta Escuelas de Sabiduría para quienes desean una capacitación avanzada para lograr "La Vida Fuera de lo Común".

8. **Ministerio de Misiones** – Las misiones de alcance en ultramar a 38 países, que realiza el Dr. Mike Murdock, incluyen campañas en el Este y Oeste de África, Sudamérica y Europa.

Algo Increíble Está Muy Cerca De Ti.

- 47 Llaves Para Reconocer El Cónyuge Que Dios Ha Aprobado Para Ti.
- 14 Hechos Que Debes Saber Acerca De Tus Dones Y Talentos.
- 17 Hechos Importantes Que Debes Recordar Acerca De Tus Debilidades.
- 10 Llaves De Sabiduría Que Cambiaron Mi Vida.
- 24 Hechos Poderosos Acerca Del Sueño Fuera De Lo Común Dentro De Ti.
- 6 Hechos Que Debes Saber Sobre La Administración De Tu Tiempo.
- 46 Hechos Importantes Que Debes Saber Sobre Resolución de Problemas.

Cualquier Cosa Que No Es Reconocida No Llega A Ser Celebrada. Cualquier Cosa Que No Es Celebrada No Llega A Ser Recompensada. Cualquier Cosa Que No Es Recompensada Finalmente Se Va De Tu Vida. La Ley Del Reconocimiento puede cambiar toda una vida de fracaso en un éxito instantáneo. Dios ha provisto almacenes de tesoros alrededor de nosotros y solamente necesitamos reconocerlos. En esta enseñanza aprenderás a reconocer los dones más importantes en tu vida.

The Wisdom Center
Libro SB-114 / $10 USD
Sabiduría Ante Todo

Más 10% Por Gastos De Envío

 THE WISDOM CENTER 1-888-WISDOM-1
4051 Denton Highway • Fort Worth, TX 76117 1-817-759-0300

Website: www.TheWisdomCenter.tv